# Creando Nuevas Alternativas

## Manual de Prevención e Intervención para la Violencia Doméstica

Dr. Frank Clavijo

***Creando Nuevas Alternativas:***
***Manual de Prevención e Intervención para la Violencia Doméstica.***



*Primera edición: Noviembre 2021*
*Frank Clavijo, Denver, Colorado*
*Edición y diagramación: Eva Tejada*
*Diseño de la cubierta y selección de fotos: Vanessa Clavijo*
*Impreso en Denver, Colorado*
*Para ordenar copias para grupos, enviar correo a ClavijoFrank@gmail.com*
*www.Frankclavijo.com*

---



*First edition: November 2021*
*Frank Clavijo*
*Edition and layout by Eva Tejada*
*Cover design and photo selection by Vanessa Clavijo*
*Printed in Denver, Colorado*
*To order copies and for group purchases, email the author at ClavijoFrank@gmail.com*
*www.Frankclavijo.com*

*ISBN paper: 978-0-578-92468-7*

## Contenido

# *Prólogo*

*Cualquier estudio sobre violencia doméstica puede explicar por qué los hombres son los autores en la gran mayoría de los casos. La evidencia sugiere que cambiar las percepciones que los hombres tienen sobre la masculinidad puede reducir la violencia conyugal. Asimismo, las habilidades y el conocimiento de los profesionales de salud mental son necesarios para desarrollar programas de prevención e intervención en las escuelas, lugares de trabajo, prisiones, y otros contextos relevantes. Estos programas buscan cambiar las expectativas de género para los hombres que enfatizan la autosuficiencia, la dureza y la violencia, incluyendo la violencia doméstica.*

*El contenido de este manual tiene un enfoque culturalmente apropiado, validado por ocho años consecutivos en 12 grupos abiertos de terapia en español para ofensores de violencia doméstica. Estos grupos, de entre 8 y 12 participantes, incluyeron, por separado, hombres y mujeres heterosexuales Latinos de habla hispana que viven en los Estados Unidos, y que fueron sentenciados por cometer delitos de violencia doméstica en el estado de Colorado. La mayoría de los Latinos son de procedencia mexicana, trabajadores de la construcción, en el caso de los hombres; y en el caso de las mujeres, la mayoría son amas de casa, trabajadoras de limpieza o de restaurantes. Cabe destacar que el término "ofensor" es utilizado a través de todo este manual de manera inclusiva, es decir, al usar la palabra "ofensor" se está haciendo referencia tanto a hombres como mujeres, y sin importar su orientación o preferencia sexual.*

*El tiempo que cada ofensor de violencia doméstica permaneció en un grupo de terapia dependió de su nivel de riesgo, identificado durante la evaluación de violencia doméstica y antes de empezar con el tratamiento. La permanencia promedio de los ofensores en cada grupo de terapia varió entre 6 a 9 meses, a excepción de ofensores que fueron dados de baja del programa por no cumplir con las condiciones de su libertad condicional o por violar los estándares que rigen los programas de violencia doméstica en el estado de Colorado. El nivel de reincidencia de ofensores que fueron referidos de nuevo con sentencias de violencia doméstica a la misma agencia fue menos del 4%, aproximadamente.*

*Como parte de la validación y aplicación de este manual, participamos tres terapeutas certificados y aprobados para dirigir grupos de terapia para ofensores de violencia doméstica en el estado de Colorado. Como sabemos, la falta de servicios de prevención e intervención de violencia doméstica, y la falta de profesionales lingüística y culturalmente receptivos, pueden resultar en un diagnóstico erróneo a la hora de evaluar a un ofensor. El no prestarle el tratamiento adecuado, aumentaría las posibilidades de reincidencia.*

*En esencia, reconocer el papel de las tradiciones culturales, los valores, los niveles de aculturación, y la condición de inmigrante, no solo es deseable, sino crucial en la formulación de servicios de violencia doméstica culturalmente receptivos, para así mejorar los resultados de los grupos de terapia para Latinos en los Estados Unidos. Como en muchos otros países, en EE. UU. se toma muy en serio cualquier caso de violencia doméstica. Las leyes contra los ofensores de violencia doméstica son muy estrictas. En general, se considera delito cualquier maltrato o abuso a la pareja o expareja, y se considera víctima de violencia doméstica a la persona que sufra lesiones físicas, amenazas, intimidaciones o agresiones sexuales, ya sea que estén o no dentro de una situación formal de pareja, sin importar sin son del mismo sexo o no.*

*Para los estándares norteamericanos la agresión o el abuso no tienen por qué ser solamente físicos. También se considera agresión cuando un miembro de la pareja amenaza intencionalmente a su pareja o expareja con infringirle violencia física. Esta amenaza expresada en palabras o por escrito son actos de demostración de violencia y es considerada por las leyes estadounidenses como un delito.*

*Uno de los mayores errores cometidos por las personas arrestadas o acusadas de violencia doméstica es creer que pueden manejar la situación por sí mismos, buscando la reconciliación con la víctima o convenciéndola de que "retire los cargos". La situación real es la siguiente: la víctima simplemente ya no controla este proceso, el Fiscal Estatal es quien está a cargo del proceso legal, y los cargos legales del ofensor son asumidos por el Estado.*

*En el Estado de Colorado, como en la mayoría de los estados, el Fiscal Estatal lleva a cabo el procedimiento por violencia doméstica, con o sin la cooperación o participación de la víctima. Los fiscales tratarán de ejecutar sus órdenes de comparecencia a corte, obtener evidencia, y persistirán en lograr una condena contra el ofensor u ofensora de violencia doméstica. Si bien la víctima de un crimen por violencia doméstica puede solicitar que el Fiscal Estatal desista de condenar al acusado(a), el Fiscal del Estado no tiene la obligación de honrar o de hacer cumplir esa petición.*

*El trabajo de la Fiscalía Estatal consiste en procesar lo que ellos consideran violaciones a la ley, no necesariamente lo que considere la víctima. Eso no quiere decir que no tomen en cuenta los comentarios de una víctima; pero si la fiscalía cree tener evidencia suficiente para una condena por violencia doméstica, ellos buscarán la forma de establecer los cargos legales en contra del ofensor.*

# *Agradecimiento*

*Agradezco a todas y cada una de las personas que han formado parte de este gran proyecto: mis clientes, quienes compartieron sus historias, mis amigos, maestros, y colegas, mis hermanos y hermanas que creyeron en mí. A mi esposa Mily por su paciencia y por estar dispuesta a ceder parte del tiempo que compartimos juntos para permitirme enfocarme en este libro. A mis hijos Cristian y Vanessa, a mis nietos Frost y Skye por ser mi fuente de inspiración, y a todos los que me enseñaron algo en la vida personal y profesional.*

*Mi respeto y particular agradecimiento a Eva Tejada, la editora, que no sólo hizo la edición y diagramación, sino que estuvo a cargo de todos los detalles, dándole luz a las ideas para llevar adelante este proyecto; además porque me tuvo mucha paciencia, tolerancia, comprensión, siempre poniéndole el tono de buen humor.*

*Un agradecimiento especial a IDEA Forum, Inc y a su directora, Marcela Paiz, por la oportunidad de trabajar con grupos de violencia doméstica en sus cuatro clínicas del Área Metropolitana de Denver. Me siento muy orgulloso de ser parte del equipo humano de esta reconocida y respetada organización durante 17 años.*

*Agradezco a mis colegas y amigos Carolina Frane, Rocío Sepúlveda, Nancy Ortiz, María Arroyo, Noemí Marquez, Camilo Baras, y Roger Chevarría, quienes además de corregir el manuscrito original, y hacerme llegar sus valiosas sugerencias, me alentaron y acompañaron en todo el largo proceso de escribir, corregir, preparar y editar este manual.*

*Quiero mencionar y agradecer profundamente a mi hija Vanessa por su infinita bondad y valiosa ayuda técnica con la selección de las fotografías, edición de fotografías, y diseño de la portada.*

*Finalmente, y de manera especial quiero agradecer a mi madre Cristina, que en paz descanse, una mujer guerrera, luchadora y emprendedora, quien hizo posible que fuera quien soy.*

## Introducción para Líderes de Grupo

Identificar el tratamiento de intervención apropiado para trabajar en grupos de terapia con personas que han cometido delitos de violencia doméstica constituye todo un desafío, pues esto implica integrar diferentes enfoques terapéuticos con las necesidades y características de estas personas que abusan o han abusado de sus parejas íntimas. Aunque no existen fórmulas mágicas para dirigir este tipo de grupos, ni que garanticen que los ofensores de violencia doméstica no volverán a reincidir, sí podemos establecer algunas recomendaciones y orientaciones para lograr mejores resultados y para reducir los niveles de riesgos para las víctimas y la comunidad.

La actitud y experiencia del terapeuta es muy importante para mantener un ambiente favorable en el grupo, y desde allí generar sentimientos de confianza que promuevan la participación de los miembros. Muchas veces se ha dicho que los participantes de un grupo de terapia tienen que estar lo suficientemente motivados para el tratamiento, de lo contrario no hay mucho que hacer. Por lo que trabajar en la motivación de los ofensores de violencia doméstica es nuestra responsabilidad como terapeutas, más que de los participantes del programa. Como sabemos, la mayoría de los ofensores de violencia doméstica no reconocen el problema del por qué llegaron allí, y empiezan sus terapias en negación, o con "ceguera interna" (lack of insight), como suelo llamarlo. Muchos otros no tienen las herramientas adecuadas o la motivación suficiente para hacer el cambio en sus comportamientos abusivos.

Como sabemos, los mejores resultados de terapia en grupo se consiguen como parte de un arduo proceso de trabajo individual y grupal, asumiendo que los terapeutas, como líderes, tenemos un gran poder de influencia sobre los miembros del grupo. Por otro lado, los terapeutas que dirigimos grupos de violencia doméstica derivados de casos legales o de servicio social, tenemos que tomar decisiones difíciles cuando algún miembro no está cumpliendo con las condiciones de su caso, o con las reglas establecidas por la institución donde está bajo tratamiento. Hacer cumplir las condiciones de una libertad condicional y las establecidas por el Estado, que rigen los programas de violencia doméstica para ofensores, son parte de las responsabilidades del terapeuta o consejero.

Los temas desarrollados en este manual fueron validados y aplicados como una guía para conducir grupos de violencia doméstica con hombres y mujeres heterosexuales Latinos; sin embargo, no se descarta la posibilidad de utilizar este material con otros grupos étnicos o población LGBTQ.

Como los miembros de grupos de violencia doméstica están obligados a asistir a sus sesiones como parte de las condiciones de su libertad condicional, o por un caso con intervención de servicio social, observamos que muchos de ellos se sienten "víctimas" del sistema legal o de sus propias parejas o exparejas, y creen que los terapeutas están allí para resolver sus problemas personales y/o legales. Como profesionales de la salud mental, no podemos entrar en un papel de omnipotentes o salvadores. Tenemos que dejarles saber a los integrantes del grupo que no nos vamos a "hacer cargo" de sus problemas personales o legales, pero sí podemos guiarlos y ayudarlos con técnicas y estrategias para que aprendan ellos mismos a resolver sus conflictos personales, al mismo tiempo que establecemos límites como terapeutas, devolviendo la responsabilidad a los ofensores.

Recordemos que como terapeutas debemos establecer las condiciones para que cada integrante del grupo trabaje en dirección a un cambio. Esto implica el establecer una alianza terapéutica con el ofensor donde se comprometa y responsabilice de sus propios cambios. Algunas veces los ofensores de violencia doméstica cuestionan la situación del por qué sus parejas o exparejas no reciben las mismas terapias, o se preguntan si debiesen ir juntos a terapia de pareja mientras atienden a sus sesiones de grupos. La razón principal por la que no se recomienda terapia de pareja es porque la violencia doméstica no es un "problema de pareja", es un problema de abuso basado en el poder y control, y la responsabilidad debe recaer únicamente en el abusador. La terapia de pareja puede ser muy efectiva para las parejas que están dispuestas a trabajar con problemas vinculados a la relación, responsabilizarse por sus acciones y hacer los ajustes necesarios a sus comportamientos, y no para aquellas relaciones basadas en el poder y control.

Aunque este manual está principalmente dirigido a terapeutas involucrados en el tratamiento, prevención e intervención clínica de la violencia doméstica, puede ser de gran utilidad a otros profesionales de salud mental, trabajadores sociales, y también a personas interesadas en el tema de la violencia doméstica.

En este manual he procurado el uso de un lenguaje sencillo, claro y con un enfoque multicultural y lingüístico, de forma que pueda ser entendido por la mayoría de los hombres y mujeres de la comunidad Latina en la que su lengua primaria es el español. El manual está organizado en 30 temas cuidadosamente seleccionados, en los que se abordan las principales materias relacionadas con la prevención e intervención de la violencia doméstica. Como parte de los temas se incluyen 41 hojas de actividades y cinco proyectos especiales, que permiten y facilitan un análisis grupal de cada tema, y ayudan a desarrollar y profundizar en los tópicos que el mismo terapeuta considere más relevantes de acuerdo con las necesidades del grupo y experiencia del terapeuta.

Los temas seleccionados no necesariamente tienen que usarse o desarrollarse en la secuencia que están presentados. Queda a criterio del terapeuta, como líder del grupo, identificar y usar los temas apropiados para cada sesión, así como evaluar el tema o dinámica que mejor funcionen para cada grupo. El manual también puede ser usado en línea o de manera remota, dependiendo de las circunstancias. El o la participante deberá seguir las instrucciones del terapeuta, y completar cada una de las actividades y proyectos especiales que se le asignen. Las hojas de trabajo pueden ser escaneadas desde un móvil o computadora y enviados vía email al consejero o terapeuta para su revisión.

Dependiendo de las normas que rigen los programas de violencia doméstica, establecidas por cada estado; las personas sentenciadas o en proceso de ser sentenciadas, deberían ser evaluadas antes de ser incorporados a un grupo específico de terapia de violencia doméstica. Las evaluaciones de violencia doméstica son necesarias para identificar los siguientes factores: el nivel de riesgo y las necesidades del ofensor relacionadas con el tratamiento, el riesgo de reincidencia, posible letalidad de la futura violencia doméstica, necesidades criminógenas del ofensor, e identificación de las fortalezas del ofensor (apoyo pro-social, empleo, educación, etc.). De las evaluaciones surgen recomendaciones iniciales para la planificación del tratamiento y el monitoreo del ofensor con relación a la comunidad y la víctima. En este proceso se evalúa también la aptitud para el tratamiento, que es la capacidad de comprender los conceptos del tratamiento, y la capacidad física y mental para funcionar en un entorno de tratamiento. Así mismo se deberá considerar si el ofensor es apropiado o inapropiado para grupos de tratamiento de violencia doméstica, al igual que la capacidad de respuesta del ofensor y otros problemas de tratamiento. Todos estos factores resultan en un plan de tratamiento inicial para el ofensor con el entendimiento de que la evaluación es un proceso continuo, que se puede ajustar.

En el estado de Colorado contamos con un proceso de evaluación y tratamiento individualizado para ofensores de violencia doméstica, en lugar de tratar a todos por igual. Durante este proceso se toma en consideración las necesidades terapéuticas de cada ofensor, que se tratarán y evaluarán durante su tratamiento. Este modelo de evaluación y tratamiento se ve claramente reflejado en beneficio del participante, además de proteger a la víctima y comunidad. (*)

Algunos estudios han examinado que la violencia doméstica tiene conexión con algunos problemas de salud mental (depresión, ansiedad, trastorno de estrés postraumático, desórdenes de personalidad antisocial y desórdenes de personalidad límite) que han sido identificados tanto en hombres como mujeres, por lo que sugieren examinar y tratar de manera individual los problemas de salud mental en el contexto de la violencia doméstica, y de esta manera conducir a un tratamiento más efectivo e individualizado (Spencer et al., 2017).

Finalmente, recuerde que el sistema de justicia penal, no el terapeuta o consejero de violencia doméstica, es responsable de tomar decisiones legales con respecto a la culpabilidad o inocencia, súplicas, condenas y sentencias. De igual manera, los terapeutas o consejeros no deberán emitir opiniones o recomendaciones legales distintas de las recomendaciones especificadas por la justicia penal de cada estado. Sin embargo, existen excepciones que un terapeuta, con las credenciales apropiadas, pueden dar recomendaciones en cuanto al nivel de libertad condicional para personas que cometen delitos de violencia doméstica. También un terapeuta, con conocimiento de lo peligroso que puede ser un ofensor para la víctima o comunidad, tiene la responsabilidad inmensa de comunicar esto al sistema judicial.

*(*) DVOMB (Domestic Violence Offender Management Board-Colorado)*

Esta página fue dejada en blanco intencionalmente.

## Introducción para los Miembros del Grupo

Bienvenidos al grupo de terapia: "Prevención e Intervención de Violencia Doméstica". Probablemente para usted esta es una nueva experiencia, algo desconocido, y hasta pudiese pensar que no debería estar aquí. Puede ver esto como un castigo por algo malo que hizo, y es comprensible. Le invito a que vea esto como una oportunidad. Esta es una puerta que se le abre para hacer "borrón y cuenta nueva", cambiar su vida, mejorar sus relaciones, cambiar su futuro, y, en fin, ser mejor persona. Pero la clave del éxito es que se comprometa consigo mismo(a) a participar al cien por ciento.

Como ofensor de un caso legal de violencia doméstica, lo más probable es que usted será evaluado y asignado de un grupo de terapia, donde deberá participar activamente durante el proceso. También deberá demostrar que entiende y que practicará en su vida diaria cada una de las aptitudes y habilidades desarrolladas en este manual. Su cambio de comportamiento y aptitudes debe ser observables también por otros y ser consistente con su Plan Personal de Tratamiento. Además, debe cumplir con las condiciones de su libertad condicional, si ese es su caso, o ya sea que fuese referido por alguna otra institución, como el Departamento de Servicios Sociales.

Como parte de su compromiso, usted deberá seguir y cumplir con las reglas y normas que el centro, institución, clínica o agencia establezca para sus miembros. Las sesiones de grupo se basarán en la discusión de los temas del manual u otros que su terapeuta considere como parte de su Plan Personal de Tratamiento y de acuerdo con los lineamientos de la Junta Directiva que rigen los Programas de Violencia Doméstica en su Estado.

Usted tendrá la oportunidad de participar abiertamente en el tratamiento, así como compartir su punto de vista, opiniones, pensamientos, creencias, proporcionando retroalimentación constructiva o haciendo comentarios, con el propósito terapéutico de contribuir y enriquecer el proceso terapéutico del grupo. Asimismo, deberá entender y aceptar que trabajar en temas relacionados con la violencia doméstica es un proceso continuo y que su iniciativa y motivación son elementos básicos para su cambio.

Finalmente, se le recomienda revisar cada una de las sesiones antes de asistir a sus grupos de terapia, del mismo modo deberá completar cada una de las actividades de cada tema (siendo lo más detallista posible), los mismos que deberán ser discutidos en su grupo de terapia y siguiendo las indicaciones de su terapeuta. Si usted está participando en este proceso de terapia en línea o de manera remota, deberá seguir las instrucciones del terapeuta, y completar cada una de las actividades asignadas y proyectos especiales. Las hojas de trabajo pueden ser escaneadas desde un móvil o computadora y enviadas vía correo electrónico (email) a su terapeuta para su revisión.

Recuerde que la meta de su terapeuta es el ayudarle y guiarle en un proceso de cambio y aprendizaje, pero la responsabilidad del cambio depende de usted. Y es usted quien se dará crédito por los frutos de su esfuerzo. ¡Ánimo, y suerte en este gran desafío!

Esta página fue dejada en blanco intencionalmente.

## Reglas para las Sesiones del Grupo

1. CONFIDENCIALIDAD. Todo lo que cualquier miembro del grupo comparta durante las sesiones de terapia grupal es estrictamente confidencial. Por lo tanto, nadie compartirá fuera del grupo con otra persona nada de lo que se haya dicho o compartido en terapia, con la excepción de las personas involucradas en el proceso de su terapia como oficiales de libertad condicional, trabajadores sociales, supervisores clínicos, etc.
2. LIBERTAD DE EXPRESIÓN. Cada uno de los miembros del grupo tiene el derecho a su propia manera de pensar, sentir, y expresar sus puntos de vista durante las sesiones de la terapia.
3. RESPETO. Las observaciones, comentarios y críticas en el grupo se harán dentro del marco del respeto mutuo. El terapeuta tiene derecho a intervenir en caso de disputa, manteniendo en todo momento el derecho de finalizar con la discusión de aquellos que contravengan esta norma básica.
4. SEGURIDAD FÍSICA Y VERBAL. Ningún miembro del grupo puede reaccionar de manera agresiva, ni insultar, o usar lenguaje inapropiado. Tampoco se hará daño físico a nadie, ni a sí mismo.
5. ABSTINENCIA. Está prohibido venir a las sesiones bajo la influencia del alcohol o bajo los efectos de cualquier droga. De ser necesario, debe informar al terapeuta los medicamentos que esté tomando por prescripción médica.
6. ABANDONO DE LAS TERAPIAS. Si contempla la posibilidad de abandonar las terapias, debe informar con anticipación la decisión a su terapeuta.
7. HORARIO. Las sesiones comenzarán a la hora programada y deberán concluir a tiempo. Se requiere estar presente en las sesiones desde 15 minutos antes de la hora acordada, con 10 minutos de tolerancia para emergencias y a discreción del terapeuta.
8. EMPATÍA. Se requiere el tratar de entender y respetar los problemas de los demás miembros del grupo, aunque algunas veces no esté de acuerdo con los puntos de vista de los demás.
9. PAGO DE LOS HONORARIOS. Se requiere pagar puntualmente los honorarios de sus terapias.
10. DURACIÓN DE LAS SESIONES DEL GRUPO. Es obligatorio permanecer en las sesiones del grupo durante el tiempo establecido para cada sesión. Durante las sesiones, no podrán salir del grupo sin el consentimiento del terapeuta. Si va a faltar a la sesión, se requiere llamar anticipadamente o dejar saber al terapeuta oportunamente.
11. RELACIONES ROMÁNTICAS. Está prohibido mantener relaciones románticas con cualquier miembro del grupo.
12. RELACIONES COMERCIALES. Está prohibido establecer relaciones comerciales con o vender productos a los miembros del grupo.
13. COMIDAS o BEBIDAS: No chicle, comida o bebidas estará permitido durante las sesiones de grupo, a excepción de agua y a discreción del terapeuta.

14. CIGARROS y TABACO. Queda prohibido fumar o usar tabaco durante las sesiones de terapias y dentro de las instalaciones.
15. MÓVILES. Queda prohibido el uso de celulares, audífonos, móviles, o aparatos electrónicos portátiles durante las sesiones grupales presenciales.
16. VESTIMENTA. Puede vestir casual o formalmente, pero debe evitar usar ropa que distraiga o que tenga el potencial de causar problemas de seguridad, interrupción, o distracción de los miembros del grupo. Ropa con emblemas de alcohol, drogas, tabaco, o con lenguaje obsceno y/o afiliación de pandillas queda estrictamente prohibida.
17. SESIONES VIRTUALES. Si está participando en sesiones por videoconferencia (Telesalud), deberá tener en cuenta lo siguiente:
    a. Debe estar en una habitación o lugar privado.
    b. Nadie más puede estar presente durante la sesión.
    c. Debe estar libre de distracciones, aparatos electrónicos, o cualquier ruido que lo(a) distraiga.
    d. Manténgase en el campo de visión del aparato o dispositivo de transmisión que esté utilizando para la sesión.
    e. Deje saber a su terapeuta o consejero si necesita retirarse o desconectarse de la sesión en algún momento.
    f. No deberá participar en la sesión desde un lugar público.
    g. Queda prohibido grabar o fotografiar a los participantes de la sesión.
    h. El abuso de la tecnología de Telesalud o cualquier comportamiento inadecuando resultará en que sea retirado de la sesión y puede ocasionar término del tratamiento.
18. Otros acuerdos o reglas establecidos por el establecimiento o terapeuta:
    a. ______________________________
    b. ______________________________
    c. ______________________________

Nota: El no cumplimiento con estas reglas o violaciones de alguno de los acuerdos, podría resultar en:

a. Tratamiento adicional
b. Descargo o terminación del programa de terapia
c. Cualquier otra sanción establecida por el terapeuta o institución

Nombre: ______________________________ Fecha: ____________

## Mis Aptitudes, Habilidades y Compromiso Básico con mi Tratamiento de Violencia Doméstica (*)

Yo......................................................................................, reconozco que, para terminar exitosamente con mi Plan de Prevención y Tratamiento de Violencia Doméstica, debo completar cada uno de los temas asignados y participaré activamente en las sesiones del tratamiento que me sean asignadas. Como parte de este Plan de Tratamiento, puedo demostrar que entiendo y que aplicaré las aptitudes y habilidades básicas de prevención de violencia doméstica en mi vida diaria. Mi cambio tiene que ser observable por otros y ser sostenido en el tiempo.

Entiendo por aptitudes y habilidades como un conjunto de destrezas y capacidades personales que poseo y puedo desarrollar, que además están vinculadas en mi ámbito del aprendizaje y comprensión durante este proceso; y que pondré en práctica de manera efectiva y eficaz durante y despues del tratamiento. Las aptitudes, habilidades y compromisos básicos que como ofensor(a) necesito demostrar durante mi tratamiento de Violencia Doméstica son las siguientes:

**1. Responsabilidad de trabajar y completar mi Plan Integral de Cambio Personal**

a. Como ofensor(a) completaré, desarrollaré y trabajaré en un Plan Integral de Cambio Personal.

b. En mi Plan Integral de Cambio Personal propondré firmemente mis acciones específicas, que llevaré a cabo durante el programa, de tal modo que mi terapeuta, oficial de libertad condicional, y otras personas, puedan observar los cambios específicos en mis creencias, manera de pensar, comportamientos, hábitos, etc.

c. Soy consciente que mi Plan Integral de Cambio Personal como ofensor de violencia doméstica, está relacionado con mi nivel de riesgo hacia mi pareja, expareja, hijos, y la comunidad en general, y que fue identificado durante mi evaluación al ingresar al programa.

**2. Responsabilidad para trabajar en mi Plan Personal de Seguimiento**

Completaré, desarrollaré y trabajaré en un Plan de Seguimiento Personal y estaré preparado(a) para ponerlo en práctica después que termine con mi tratamiento.

**3. Participación y cooperación en el tratamiento**

Participaré activa y abiertamente en el tratamiento expresando sentimientos personales, ofreciendo opiniones constructivas, manteniendo un espíritu de respeto mutuo entre los participantes del programa, y completaré las tareas que me sean asignadas.

*(*) Adaptado del DVOMB (Domestic Violence Offender Management Board-Colorado)*

**4. Rendición de cuentas y toma de responsabilidad por mis acciones**

a. De ser necesario reconoceré y eliminaré todas las minimizaciones o negaciones de mi comportamiento abusivo o agresivo relacionado con mi caso de legal de violencia doméstica.
b. Entenderé que rendir cuentas y tomar responsabilidad como ofensor de violencia doméstica implica la aceptación de la responsabilidad de mis comportamientos abusivos o agresivos.
c. Demostraré la plena propiedad de mis actos y aceptaré las consecuencias.
d. Reconoceré la necesidad significativa de mi cambio; de lo contrario, probablemente podría volver a caer en mi anterior patrón de comportamiento abusivo o agresivo.
e. Trabajaré duro en renunciar a cualquier excusa o justificación, y no voy a culpar a mi pareja, expareja, otras personas o al sistema legal, por mi caso de violencia doméstica.
f. Aceptaré la responsabilidad por el impacto de mis conductas abusivas o agresivas en las víctimas secundarias (hijos, familiares, etc.) y la comunidad en general.
g. Reconoceré que el comportamiento abusivo o agresivo es inaceptable. Estoy de acuerdo en que fue un error; por lo tanto, no voy a repetirlo.

**5. Reconocimiento y aceptación de mi historial de abuso**

a. Compartiré mi historial del abuso que he cometido hacia mi pareja o exparejas, hijos, o comunidad.
b. Me comprometo a eliminar cualquier forma de comportamiento abusivo o agresivo, y no voy a usar la agresión física, abuso psicológico, o cualquier tipo de intimidación, amenaza, o violencia hacia mi pareja, expareja, hijos, o comunidad.

**6. Aceptación de comportamientos inapropiados y sus consecuencias**

a. Identificaré las consecuencias de mi propio comportamiento, desafiaré mis patrones de pensamiento distorsionados, y comprenderé que las consecuencias son el resultado de mis propias decisiones.
b. Tomaré decisiones basadas en mi reconocimiento de las posibles consecuencias.
c. Seré consciente que mi conducta abusiva/agresiva ha sido mi propia elección, fue intencional y orientada hacia un propósito.

**7. Identificación de mis patrones de poder y control, y creencias falsas de violencia doméstica**

a. Trabajaré en el reconocimiento de mi patrón de comportamiento personal de violencia y abuso en mis relaciones de pareja.
b. Es probable que mi caso de violencia doméstica fue posible por las imágenes distorsionadas en mi mente y que se expresaron en mis conductas y actitudes inaceptables.
c. Aprenderé e identificaré mis posibles excusas que me llevaron a esos comportamientos.
d. Examinaré y determinaré mis posibles "razones" o creencias detrás de esos comportamientos abusivos.

e. Renunciaré a cualquier "patrón de comportamiento" de violencia con el fin de evitar caer en los mismos comportamientos abusivos.
f. Demostraré comportamientos, actitudes y creencias congruentes con la igualdad y el respeto en las relaciones de pareja.

**8. Habilidad para definir los diferentes tipos de violencia doméstica**

a. Aprenderé a definir la violencia doméstica e identificaré los diferentes tipos de violencia y abuso en las relaciones de pareja.
b. Identificaré los tipos específicos de violencia doméstica en los que he participado, y el impacto destructivo en el comportamiento de mi pareja, expareja, e hijos.

**9. Desarrollo de empatía**

Entenderé acerca de los sentimientos negativos y experiencias desagradables que la víctima o víctimas, pudieron haber pasado durante la relación de pareja o como parte del incidente de violencia doméstica.

**10. Entendimiento de los efectos intergeneracionales de la violencia**

a. De ser posible, reconoceré el impacto en mi vida como testigo de violencia en el pasado.
b. Reconoceré que posiblemente mi crianza ha influenciado en mis comportamientos abusivos o agresivos.
c. Aprenderé sobre los efectos negativos de exponer a los hijos a situaciones de violencia doméstica.
d. Aprenderé y reconoceré que hay creencias familiares y tradicionales que promueven la violencia, así como roles culturales que pretenden justificar el abuso en las relaciones de pareja y los hijos.

**11. Entendimiento y utilización de las habilidades de comunicación interpersonal.**

Aprenderé y aplicaré estilos alternativos de comunicación interpersonal que no sean ni pasivos, ni agresivos.

**12. Entendimiento y utilización del "tiempo fuera"**

Aprenderé sobre el "tiempo fuera" y practicaré todos los pasos del "tiempo fuera" cuando sea necesario.

**13. Reconocimiento del abuso y responsabilidad financiera**

a. Cumpliré con mis responsabilidades financieras, tales como: manutención de familia e hijos, pagos judiciales, honorarios de tratamiento, etc.
b. Mantendré un empleo, a menos que sea médicamente verificable que no pueda trabajar, o que me dedique a tiempo completo a mi hogar.

**14. Prohibición de armas y municiones**

Si estoy en libertad condicional, entiendo que tengo prohibido comprar, poseer o utilizar armas de fuego o municiones. Una excepción puede ser aplicable si hay una orden específica judicial que permita expresamente que yo posea armas de fuego y municiones.

**15. Manejo del enojo**

a. Aprenderé que puedo ser capaz de expresar mi enojo de manera productiva sin destruir propiedad, pertenencias personales o agredir.
b. Aprenderé y practicaré habilidades positivas para el control de mi enojo.
c. Desarrollaré un Plan Individual de control del enojo que mejor funcione para mí.

**16. Manejo del estrés**

a. Aprenderé a estar preparado para responder en situaciones de alta tensión o de alto estrés.
b. Desarrollaré una estrategia para aplicar las técnicas de estrés que funcionen mejor para mí.

**17. Mantenimiento de sobriedad**

a. De ser necesario, me comprometeré con el mantenimiento de la abstinencia de todo tipo de sustancias toxicas, o a la posibilidad de riesgo de reincidencia.
b. Me someteré a cualquier tipo de monitoreo de sobriedad que me sea asignado o cuando me sea requerido.

**18. Comportamiento sexual saludable**

a. Aprenderé a desarrollar relaciones sexuales sanas y mantener relaciones sexuales libres de imposición, manipulación o chantaje.
b. Entenderé el impacto de la violencia sexual infligida a la pareja.

Mi firma a continuación testifica que personalmente estoy de acuerdo con este compromiso como parte de mi Plan de Prevención e Intervención de Violencia Doméstica, y que haré todos los cambios necesarios para cumplir y mantener este compromiso. Asimismo, utilizaré todos los recursos necesarios que estén en mi poder personal para este fin, incluyendo la búsqueda de ayuda profesional adicional, si es necesario.

Nombre: ______________________________________________ Fecha: _____________

Firma: ___________________________________________________________________

# ::: Proyecto Especial I :::

## Mi Plan Integral de Cambio Personal

**Objetivos**

a. Implementar un Plan Integral de Cambio Personal.
b. Establecer indicadores que me permitan medir mi progreso a través del programa de violencia doméstica.
c. Asumir el compromiso de vencer viejas creencias que han promovido la violencia doméstica, y cambiarlos por creencias positivas que promuevan relaciones más sanas, justas y equitativas.

Un plan integral de cambio personal es la visión común de una persona de lo que se quiere en el futuro. Este plan obviamente no anticipa lo que puede pasar en diez o veinte años hacia el futuro. Lograr los objetivos y metas no es fácil, implica esfuerzo, dedicación y constancia. En su caso, como ofensor de violencia doméstica, se trata de proponerse firmemente un cambio personal y tomar acciones específicas en esa dirección. De esa forma, usted, su oficial de libertad condicional, su terapeuta, su pareja, familia, y otras personas, podrán observar cambios específicos en sus creencias, hábitos, etc., como consecuencia de sus acciones y esfuerzo durante y después del programa de violencia doméstica.

A continuación, mi Plan Integral de Cambio Personal de Tratamiento como ofensor de Violencia Doméstica:

**1. Los principales cambios y compromisos que me gustaría hacer durante mi tratamiento son: (Identifique al menos 6 metas y tome como referencia la hoja de actividad #1)**

a. ______________________________________________

______________________________________________

b. ______________________________________________

______________________________________________

c. ______________________________________________

______________________________________________

d. ______________________________________________

______________________________________________

e. ______________________________________________

______________________________________________

f. ______________________________________________

______________________________________________

g. ______________________________________________

______________________________________________

h. ______________________________________________

______________________________________________

**2. Las razones y motivos importantes por las que me gustaría hacer los cambios durante el tratamiento son:**

a. ______________________________________________

______________________________________________

b. ______________________________________________

______________________________________________

c. ______________________________________________

______________________________________________

**3. Los pasos que planeo tomar para trabajar y cumplir con mi Plan Personal de tratamiento son (PLAN DE ACCIÓN):**

a. ______________________________

______________________________

b. ______________________________

______________________________

c. ______________________________

______________________________

**4. Algunas cosas que podrían interferir con mi Plan Personal de tratamiento son:**

a. ______________________________

______________________________

b. ______________________________

______________________________

c. ______________________________

______________________________

**5. Algunas personas de confianza que podrían ayudarme con mi Plan Personal de tratamiento son:**

a. ______________ d. ______________

b. ______________ e. ______________

c. ______________ f. ______________

**6. Sabré que mi Plan Personal de tratamiento está funcionando cuando:**

a. ______________________________

______________________________

b. ______________________________

______________________________

c. ______________________________

______________________________

**7. Lo que haré si mi Plan Personal de tratamiento NO está funcionando:**

a. ______________________________________________

______________________________________________

b. ______________________________________________

______________________________________________

c. ______________________________________________

______________________________________________

Nombre: ______________________________ Fecha: ____________

## ::: Hoja de Actividad #1 :::

### Guía de Metas Personales para el Tratamiento de Violencia Doméstica

1. Rendir cuentas y demostrar responsabilidad plena como ofensor de mi caso legal de violencia doméstica, así como aceptar las consecuencias.
2. Identificar los tipos específicos de violencia doméstica en los que he estado involucrado(a), y el impacto destructivo que estos comportamientos tuvieron en mi pareja, expareja, hijos y comunidad.
3. Reconocer mi comportamiento agresivo, controlador y abusivo en el pasado y/o en el presente.
4. Identificar y reconocer las creencias negativas que han afectado negativamente mis relaciones de pareja.
5. Reconocer la importancia de demostrar igualdad y respeto en las relaciones de pareja.
6. Aprender, comprender y practicar el "tiempo fuera".
7. Aprender y desarrollar habilidades de resolución de conflictos.
8. Aprender la diferencia entre la comunicación pasiva, pasiva-agresiva, agresiva, y asertiva.
9. Ser capaz de practicar asertividad al ser honesto(a) sobre lo que quiero y necesito, mientras sigo considerando los derechos, necesidades y deseos de los demás.
10. Reconocer que es mi responsabilidad expresarme apropiadamente ante los demás, y es mi responsabilidad manejar mis propios sentimientos.
11. Desarrollar la empatía (aprender a identificar emociones de los demás y conectarme emocionalmente con las personas).
12. Identificar y formar actitudes sexuales saludables.
13. Identificar comportamientos que mejoren mi salud física/mental y evitar comportamientos de riesgo.
14. Renunciar a transferir mi dolor emocional y miedos a otras personas con comportamientos hostiles o agresivos, dejando de actuar a la defensiva.
15. Aumentar la habilidad de entender y expresar mis pensamientos, emociones, necesidades y deseos.
16. Identificar y reafirmar mis valores personales.
17. Identificar y enfrentar barreras hacia mi bienestar emocional, y reconocer la influencia de los pensamientos negativos.
18. Identificar y procesar sentimientos de soledad, tristeza, y abandono.
19. Describir sentimientos asociados con comportamientos y substancias adictivas.
20. Enriquecer la habilidad para identificar, procesar y regular emociones.
21. Aprender/mejorar el cómo resolver las crisis personales y en mis relaciones.
22. Aprender/mejorar mis habilidades para resolver problemas personales.
23. Mejorar mis relaciones con mi familia, familiares, amistades y conmigo mismo(a).
24. Identificar y aprender técnicas para manejar/superar el estrés.
25. Entender las dinámicas dañinas en las relaciones de pareja.
26. Procesar, aceptar y superar alguna pérdida: muerte/divorcio/separación/trabajo/amistades.
27. Aprender los efectos intergeneracionales de la violencia.

28. Entender las bases sociales y culturales en la violencia doméstica.
29. Aprender/mejorar/aplicar habilidades de comunicación interpersonal.
30. Estar libre de episodios explosivos o agresivos.
31. Aprender y practicar habilidades para el manejo del enojo, especialmente en situaciones de provocación o alta tensión.
32. Desarrollar alternativas pacíficas y positivas para expresar mi frustración y otras emociones negativas.
33. Identificar los posibles comportamientos problemáticos asociados con mi falta de control del enojo.
34. Ser capaz de expresar mi enojo de manera productiva, sin destruir propiedad o pertenencias personales.
35. Estar libre de comportamientos violentos o agresivos que puedan resultar en un nuevo incidente de violencia doméstica.
36. Explorar los efectos de traumas del pasado y victimización.
37. Eliminar el uso de drogas y/o alcohol durante el tratamiento y después de completar el mismo.
38. Aumentar/fortalecer mi autoestima y la confianza en mí mismo(a).
39. Cumplir con todos los aspectos de mi libertad condicional y evitar comportamientos que puedan violar mi libertad condicional.

Otros:

40. ______________________________

______________________________

41. ______________________________

______________________________

42. ______________________________

______________________________

Nombre: ______________________________ Fecha: ____________

# ::: Sesión 1 :::

## Rindiendo Cuentas y Tomando Responsabilidad por las Acciones

### 1. Objetivos

a. Como ofensor, demostrar plena propiedad de las acciones que terminaron en un caso legal de violencia doméstica, independientemente de las acciones de la (s) víctima(s) o testigo(s).
b. Dejar de culpar a la(s) víctima(s), testigo(s), u otros por el incidente de violencia doméstica.
c. Superar la negación o minimización del incidente que terminó en un cargo de violencia doméstica.
d. Rendir cuentas de sus comportamientos y tomar plena responsabilidad personal por el impacto del abuso en la víctima, hijos, familia y comunidad.
e. Aceptar que las malas decisiones tienen consecuencias negativas.
f. Demostrar y aceptar responsabilidad por el historial de abuso en su relación de pareja o ex relación(es) de pareja.

### 2. ¿Qué significa rendir cuentas y tomar responsabilidad por las acciones?

Rendir cuentas de nuestras acciones ("accountability", como se le conoce en inglés) y tomar responsabilidad no es lo mismo. Aunque estos dos términos pueden tener algunas similitudes, tienen características distintas que los separan, especialmente cuando se trata de violencia doméstica.

En las relaciones de pareja, la responsabilidad de llevar una buena relación o no, puede ser compartida; no así el comportamiento abusivo basado en el poder y control que es ejercido por un miembro de la pareja. La rendición de cuentas por las acciones en un caso de violencia doméstica implica tomar **posesión de lo que se hizo**. Es algo así como la **responsabilidad aceptada.** La rendición de cuentas como ofensor(a), le ayudará a ser responsable de las consecuencias de sus acciones y decisiones.

La rendición de cuentas y la responsabilidad personal no es un rasgo con el que las personas nacen o que está en el ADN de las personas; es una forma de vida que se puede aprender y requiere acción. En su caso como ofensor(a) de violencia doméstica, la rendición de cuentas y la responsabilidad individual, no sólo es algo deseable, sino absolutamente necesario, y eso implica tomar consciencia que tendrá que llevar a cabo muchas acciones para lograr su propósito.

### 3. Rendición de cuentas y toma de responsabilidad en violencia doméstica

La rendición de cuentas es específicamente individual por algo que fue absolutamente su decisión, y es algo que se asume después de que ha sucedido una determinada situación, y es cómo responde ahora y se apropia de las consecuencias.

En la violencia doméstica, la rendición de cuentas se refiere que como ofensor(a) deberá responder por sus acciones, apropiarse de los resultados de sus acciones que tomó de manera equivocada, y cómo ahora asume las consecuencias de esas acciones. Como parte de su Plan Personal de Tratamiento (Proyecto I), usted deberá rendir cuenta de sus malas acciones y esto incluye:

a. Tomar responsabilidad individual por sus acciones.
b. Asumir total y absoluta responsabilidad por lo que pensó, sintió y actuó acerca del incidente que terminó con cargos legales por violencia doméstica.
c. Admitir las consecuencias de sus propias acciones, independientemente de las acciones o reacciones de la(s) víctima(s), por lo que pasó, sin culpar y sin justificar.
d. Aceptar que tuvo opciones, que se equivocó al actuar así, y que fue probable que no pensó en las posibles consecuencias de sus comportamientos.
e. Demostrar plena propiedad de sus acciones para lograr los cambios necesarios.

### 4. ¿Qué pasa si no se toma responsabilidad o no rinde cuentas por sus acciones?

Es común que algunas personas quieran evadir la responsabilidad de sus acciones a través de la culpa a otros por sus errores o decisiones. Si no asume responsabilidad de las acciones, esto hará más difícil verse así mismo(a) y hacer los cambios necesarios para mejorar el comportamiento. Culpar a otras personas por cómo se sintió o reaccionó, es una actitud irresponsable y a la vez una barrera para ver sus propios errores.

Según algunos estudios, cuando un ofensor de violencia doméstica niega, minimiza, o no asume responsabilidad por sus acciones, tiene más probabilidades de recaer o repetir los mismos comportamientos abusivos en el futuro (Bancroft, 2002). La rendición de cuentas es crucial para el cumplimiento de su programa de prevención e intervención de la violencia doméstica. Sin esto, usted puede poner en riesgo su Plan de Cambio Personal, en el que se comprometió al inicio del programa, y su Plan Personal de Seguimiento, en el que trabajará al final del programa (Proyecto Especial V). Optar por el juego de la culpa en lugar de asumir responsabilidad individual de sus errores, también afectará seriamente su Plan de Cambio Personal.

Si como ofensor(a) de violencia doméstica no se hace responsable de sus acciones y de cómo esto afectó a otros; su terapeuta, consejero y oficial de libertad condicional tomarán muy en serio esto. Algunos ofensores de violencia doméstica tal vez no tienen claro de cuáles comportamientos tienen que hacerse responsables o rendir cuentas. Si este es su caso, pídale a su terapeuta o consejero(a) que le proporcione una descripción de sus responsabilidades o de lo que tiene que rendir cuentas durante la terapia.

### 5. ¿En qué ayuda el tomar responsabilidad por los errores cometidos?

Reconocer que se ha cometido un error, genera mucho dolor emocional, vergüenza y sentimiento de culpa, por lo que prefieren evitar la confrontación. Para evitar este dolor o evadir el dolor emocional, es normal que algunas personas se dejen llevar por la tendencia a ignorar u ocultar el error, y hasta culpar a otros; pero así nunca se aprende. Los errores tienen mucho que enseñarnos, por ejemplo, reflexione qué hizo mal para no volver a caer en el mismo error.

Para evitar esto, no sólo es necesario reconocer que se equivocó, sino que tiene que aprender a sobrellevar el dolor emocional, asimilar los propios errores y saber qué hay que hacer en adelante para no volver a cometerlos. Las personas responsables son capaces de identificar rápidamente los problemas y encontrar posibles soluciones. A veces puede ser difícil asumir la responsabilidad personal; sin embargo, encontrará que ofrece muchas ventajas.

### 6. La violencia doméstica no tiene excusas

Tomar responsabilidad y rendir cuentas como ofensor de un caso de violencia doméstica implica dejar de buscar excusas para justificar o minimizar sus acciones. Por ejemplo, decir: "acepto que reaccioné mal... pero no fue culpa mía", "es que me provocaron", "me hicieron reaccionar así", "hasta que me cansaron", "no fue mi intención", "no lo pensé en ese momento", "el sistema legal fue injusto conmigo", etc., son respuestas comunes cuando se quiere evadir la responsabilidad de las decisiones, acciones o consecuencias. Si ese es su caso, deje de culpar a otros o poner excusas de sus acciones. Para ser más responsable, asegúrese de tener claros sus roles y responsabilidades. Sea honesto(a) consigo mismo(a) y con los demás, para que así pueda admitir cuando se equivoca, saber disculparse y seguir adelante.

Como parte de este proceso de intervención terapéutica, usted también tiene la responsabilidad de rendir cuenta de algún historial de abuso (físico, psicológico, económico, etc..), no sólo hacia la víctima primaria, sino también a otras víctimas secundarias, como a los hijos(as) y la familia. Recuerde que sus emociones, su manera de pensar, sus actitudes, y su destino, son de su responsabilidad absoluta. Mientras siga señalando a alguien, o siga buscando culpables por su situación actual, seguirá atrapado(a) y estancado(a) en el hoyo de las víctimas, y cuando está en el lugar de víctima, está atrapado en su propia miseria emocional.

Esta página fue dejada en blanco intencionalmente.

# ::: Hoja de Actividad #2 :::

## Tomando Responsabilidad y Rendición de Cuentas por Mis Acciones

1. Antes de empezar con el tratamiento de violencia doméstica, ¿a quién o a quiénes responsabilizaba o culpaba de su caso legal de violencia doméstica (pareja, expareja, familia, sistema legal, la vida, etc.)? Explique:

___

___

___

___

2. Actualmente, ¿toma responsabilidad individual y rinde cuenta de su caso legal de violencia doméstica? Explique:

___

___

___

___

3. De tomar responsabilidad como ofensor por su caso de violencia doméstica, ¿Qué nivel de responsabilidad toma (algo, la mitad, mayormente, completamente)?

___

___

___

___

4. De hoy en adelante, ¿qué necesita hacer o seguir haciendo para rendir o seguir rindiendo cuenta como ofensor de su caso de violencia doméstica?

___

___

___

___ Continúa >>>

5. ¿Qué podría haber hecho diferente hoy acerca de su incidente de violencia doméstica?

______________________________________________________________________________

______________________________________________________________________________

______________________________________________________________________________

______________________________________________________________________________

Nombre: ____________________________________________ Fecha: ____________

# ::: Proyecto Especial II :::

## Mi Carta de Rendición de Cuentas y Toma de Responsabilidad por Mis Acciones

La idea de esta carta es pretender que sea un ejercicio terapéutico. No se compartirá con la(s) víctima(s) o testigo(s), pero sí se compartirá en sus sesiones de grupo de terapia. Al escribir y rendir cuenta de sus acciones y tomar responsabilidad individual por las acciones que terminaron en su caso legal de violencia doméstica, trate de ser lo más específico(a) posible, y recuerde:

a. Asumir total y absoluta responsabilidad por lo que pensó, sintió y de la manera en que actuó acerca del incidente.
b. Aceptar las consecuencias de sus propias acciones, independientemente de las acciones o reacciones de la(s) víctima(s) u otros, por lo que pasó, sin culpar y sin poner peros.
c. Admitir que tuvo opciones, que se equivocó al actuar así, y que fue probable que no le importó las consecuencias.
d. Mostrar lo que está dispuesto a hacer o seguir haciendo para lograr los cambios deseados en sus comportamientos a corto, mediano y largo plazo, y no volver a caer en el mismo error.

Yo, ................................................, en pleno uso de mis facultades mentales, doy cuenta y tomo absoluta responsabilidad individual de mis acciones que terminaron en un caso legal de violencia doméstica.

______________________________________________

______________________________________________

______________________________________________

______________________________________________

______________________________________________

______________________________________________

______________________________________________

______________________________________________

______________________________________________

______________________________________________

______________________________________________

______________________________________________

Nombre: ______________________________ Fecha: ____________

# ::: Sesión 2 :::

## Violencia Doméstica: Definición y Características de los Diferentes Tipos de Abuso

### 1. Objetivos

a. Ser capaz de definir la violencia doméstica, identificar los patrones de comportamientos abusivos, y conocer todas las formas y características de abuso o violencia en las relaciones de pareja.
b. Demostrar comprensión de la violencia doméstica dando ejemplos.
c. Identificar en detalle los tipos específicos de violencia doméstica en los que ha estado involucrado(a) en el pasado o en el presente.

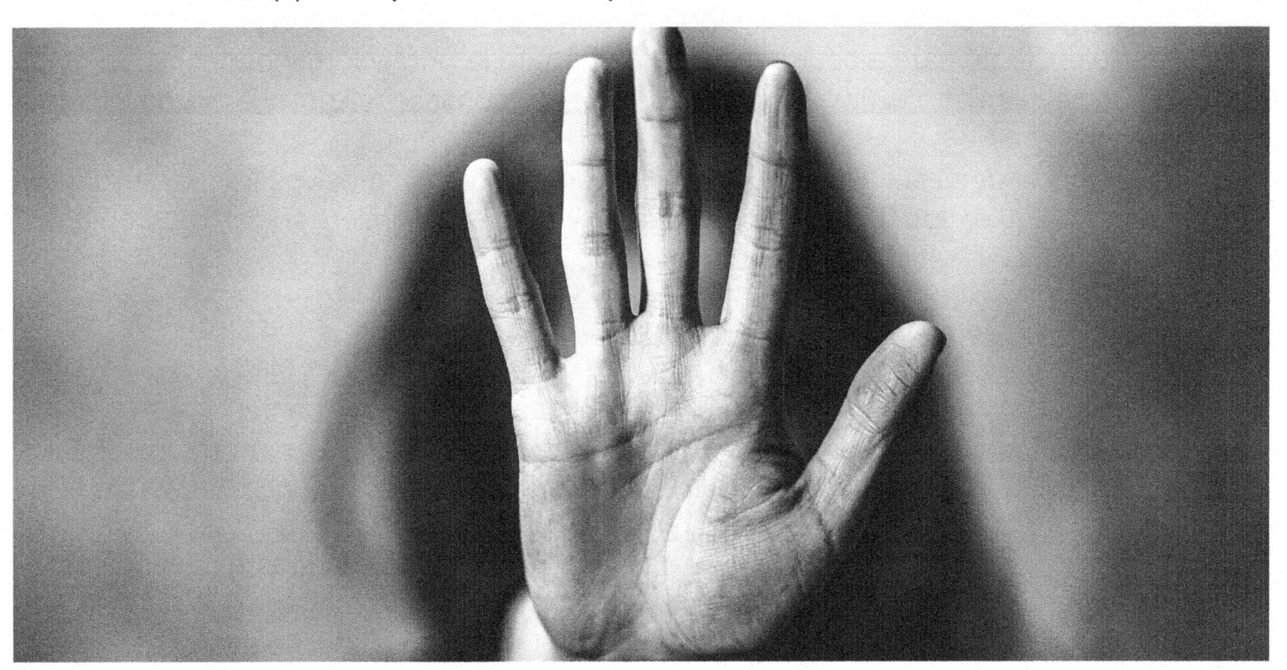

Comúnmente se cree que, si no hay abuso o maltrato físico en la pareja, no hay violencia doméstica. Como veremos más adelante, un comportamiento abusivo no necesariamente implica agresión física o uso de la violencia.

### 2. Violencia Doméstica: Definición y Características

a. La Oficina de Violencia Contra las Mujeres del Departamento de Justicia de los Estados Unidos define la violencia doméstica como un patrón de comportamientos abusivos en cualquier relación que es utilizada por un miembro de la pareja para obtener o mantener el control sobre su pareja íntima.
b. Hay muchos tipos de abuso que están incluidos en la definición de violencia doméstica. No todos los abusos en las relaciones de pareja son ilegales o no necesariamente tienen implicaciones legales porque no constituyen un crimen. Sin embargo, no dejan de ser inaceptables e injustos, y no deben ser tolerados, ni justificados. Cualquiera sea el tipo de abuso, la agresión y la violencia son un atentado contra la libertad de una persona.

c. La violencia en el noviazgo es otra forma de violencia doméstica. La mayoría de las leyes de violencia contra las mujeres define la violencia en el noviazgo según la relación entre el abusador y la víctima. Se considera violencia durante el noviazgo cuando es cometida por una persona que tiene una relación romántica o íntima con la víctima.
d. La violencia doméstica es mucho más que una simple discusión, es algo que se da de manera directa o indirecta, aisladamente o de manera constante, y casi siempre con la intención de manipular y mantener el poder y control sobre el compañero o compañera.
e. La violencia doméstica es un comportamiento básicamente infringido de un hombre hacia una mujer, pero también puede darse de una mujer hacia un hombre, de un hombre a otro hombre o de una mujer hacia otra mujer. Puede que sean adultos o adolescentes, que estén en una relación de pareja, que hayan estado en una relación de pareja o que estén pretendiendo tener en una relación de pareja.
f. La violencia de pareja ocurre en todo ámbito de la población, independientemente de la orientación sexual, condición social, económica, religiosa o grupo étnico y cultural.
g. La violencia doméstica incluye desde comportamientos agresivos físicos, sexuales y hasta cualquier tipo de abuso psicológico, verbal, económico, social, de propiedad, infantil, animal, espiritual y hasta tecnológico.

## 3. Características de los Diferentes Tipos de Abuso

### Abuso Físico

La agresión física puede llegar a ser visible, pero no es el más común de los abusos, y no deja de ser el más peligroso. Entre las características más comunes del abuso físico tenemos:

√ Empujar
√ Cachetear
√ Patear, arañar, morder, pellizcar
√ Jalar del cabello
√ Golpear puertas, paredes, gabinetes, etc.
√ Golpear con el cuerpo a la pareja
√ Hacer gestos de amenaza con el cuerpo o puño
√ Asfixiar
√ Estrangular o intentar estrangular
√ Sujetar en contra de su voluntad
√ Encerrar a la pareja en contra de su voluntad
√ Usar el cuerpo para impedir o bloquear que salga de un lugar cerrado
√ Conducir agresivamente en medio de una discusión
√ Intentar arrojarla(o) del auto
√ Abandonarla(o) en lugares peligrosos
√ Arrojar o romper objetos (platos, muebles u otros artículos del hogar)
√ Atacar o amenazar con un arma, cuchillo u otro objeto
√ Evitar que duerma o descanse
√ Escupir el cuerpo de la pareja

## Abuso Verbal

Cualquier forma de agresión o abuso verbal que se realiza con la finalidad de amenazar, intimidar, ofender y desvalorizar a la pareja, es abuso verbal. Aquí se enumeran algunas formas más comunes del abuso verbal:

√ Gritar
√ Insultar
√ Quejarse injustificadamente
√ Humillar en público o privado
√ Actuar burlona, irónica o sarcásticamente
√ Ignorar a la pareja mientras le habla
√ Negarse a hablar de la relación o cualquier otro tema
√ Dominar las conversaciones o discusiones
√ Burlarse abiertamente
√ Exigir ser escuchado/a y luego no querer escuchar
√ Silbar o chiflar a la pareja
√ Dejar de hablar (aplicar la "Ley del hielo")

## Abuso Psicológico y Emocional

Este tipo de abuso es difícil de identificar o de probar. Al igual que el abuso verbal, no deja moretones, pero su poder de daño puede llegar a ser superior al del abuso físico. Este abuso suele ser subliminal, sutil, intermitente o constante, lo que puede terminar en una codependencia emocional de quien lo sufre, y hasta destruir la autoestima de la pareja. La subestimación, desvalorización y culpa destacan como un fino trabajo de distorsión de la realidad, donde la pareja puede llegar a creer que se merece el maltrato. Entre las características más comunes del abuso psicológico tenemos:

√ Criticar constantemente
√ Rechazar directa o indirectamente a la pareja
√ Culpar o hacer sentir a la pareja de no ser merecedora de atención o afecto
√ Hacer comentarios negativos por su forma de ser
√ Acusar falsamente
√ Chantajear emocionalmente
√ Amenazar con divorciarse o dejar la relación por su culpa
√ Culpar a la pareja de los problemas de la relación
√ Poner apodos ofensivos
√ Pretender hacerle "recordar" o "inventar" cosas que no sucedieron
√ Mostrar frialdad en la relación
√ Inculcarle miedo y que sin él o ella no es nadie
√ Juzgar constantemente lo que hace o dice
√ Usar la raza, clase social, edad, discapacidad física o mental, o condición migratoria para discriminar o hacerle daño
√ Mostrar privilegios de masculinidad o de dominio sobre la pareja
√ Acosar, hostigar o amenazar a la pareja fuera del hogar (en el trabajo, en lugares públicos, etc.)
√ Imponer valores, creencias, criterios u opiniones
√ Sentirse el "Rey" del hogar
√ Responsabilizar a la pareja por cómo se siente o reacciona

√ Organizar el tiempo libre de la familia sin consultar a la pareja
√ Minimizar o ignorar los logros de la pareja y magnificar sus errores
√ Ridiculizar o burlarse de las creencias personales
√ Amenazar con suicidarse si la pareja pretende dejar la relación
√ Amenazar con matar o hacer daño a la pareja, algún miembro de la familia u otras personas
√ Amenazar con reportar su estatus migratorio o de provocar intencionalmente una deportación, si la pareja es indocumentada en el país
√ Ignorar los sentimientos, necesidades psicológicas o dolor físico de la pareja
√ No querer recordar nada de lo sucedido
√ Decirle constantemente que esta "loca" o "loco"
√ Restringir lo que come
√ Obligarle a someterse a dieta o a comer más de lo necesario para que engorde
√ Despojar de sus documentos u objetos personales y sentimentales
√ Amenazar o hacer gestos de violencia física
√ Privarla(o) del sueño
√ Mostrar armas o municiones con la intención de intimidar o amenazar

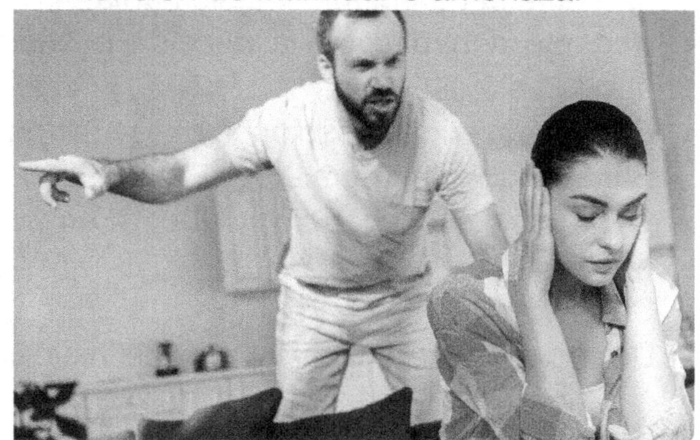

## Abuso Financiero

El chantaje, la apropiación ilegal del dinero de su pareja, la administración de las finanzas de la familia para controlar económicamente a la pareja es algunas de las formas de abuso económico. Entre otras características tenemos:

√ Tomar los ingresos económicos de ambos como exclusivamente propio
√ Negarle acceso al dinero
√ Retenerle dinero injustificadamente
√ No darle dinero para los gastos básicos
√ Gastarse el dinero en adicciones (alcohol, drogas, juegos, etc.)
√ Negarse a asumir responsabilidades financieras
√ Negarse a devolverle su dinero
√ Amenazar o negarse a dar apoyo financiero a los hijos
√ Dar prioridad sólo a sus gastos personales
√ Abusar de tarjetas de crédito o endeudarse intencionalmente para que su pareja pague las deudas
√ Impedirle que trabaje
√ Obligar a que renuncie al trabajo que tiene
√ Hacer que sea dependiente económicamente
√ Obligarle a trabajar fuera de casa y hacerse cargo de los hijos y de la casa al mismo tiempo

## Abuso Sexual

Se considera abuso o violencia sexual cuando hay presión, engaño, amenaza o utilización de la fuerza para mantener un acto sexual no deseado con la pareja. Este abuso de parte de los hombres hacia las mujeres es más común de lo que se cree. Algunas características comunes de este abuso tenemos:

- √ Insistir en estar íntimamente con la pareja cuando no lo desea
- √ Tratarla como un objeto sexual
- √ Obligar a desnudarse
- √ Forzar a tener actos sexuales no deseados
- √ Penetrar o forzar con un objeto extraño la vagina o el ano, sin su consentimiento
- √ Negarse o usar la intimidad sexual como chantaje
- √ Criticar u ofender sexualmente a la pareja
- √ Hacer videos del cuerpo desnudo o de actos sexuales, sin el consentimiento o conocimiento de la pareja
- √ Agarrar los órganos sexuales u otras partes del cuerpo en contra la voluntad de la pareja
- √ Impedirle que use anticonceptivos
- √ Hacer comentarios negativos del cuerpo de su pareja
- √ Comparar sexualmente a su pareja
- √ Amenazar a la pareja de buscar sexo en la calle
- √ Intentar embarazar a su pareja sin su consentimiento
- √ Forzar a la pareja a tener actos sexuales con terceras personas
- √ Obligar a la pareja a tener relaciones sexuales en presencia de otros, incluidos los hijos
- √ Exponer a la pareja a infecciones transmitidas sexualmente a través de la infidelidad
- √ Obligar a la pareja ver pornografía

## Abuso Social

El abuso social se refiere a cualquier tipo de aislamiento, monitoreo o abuso con impacto social cometido por la pareja y que atenta contra la libertad social y sus relaciones interpersonales. Entre las características del abuso social tenemos:

- √ Alejar a la pareja de su familia o amistades
- √ Juzgar o criticar la manera de vestirse
- √ Imponerle una forma de vestirse
- √ Impedirle ver o comunicarse con sus familiares o amistades
- √ Mostrar injustificadamente conductas de celos
- √ Mostrar comportamientos posesivos y controladores con el tiempo de la pareja
- √ Monitorear y controlar a la pareja en sus movimientos dentro y fuera de la casa

- √ Seguir a la pareja en la calle, sin su consentimiento o conocimiento
- √ Querer saber todo el tiempo dónde y con quién está
- √ Obligar a pedir "permiso" cada vez que quiera salir a la calle
- √ Impedir e interferir con su desarrollo personal, educacional, profesional o de trabajo

**Abuso Espiritual**

Muchos hombres pretenden justificar los comportamientos abusivos que realizan en contra de sus parejas basados en interpretaciones de textos bíblicos, donde supuestamente se le da poder espiritual al hombre y se subestima el rol de la mujer. Como parte del abuso espiritual tenemos:

- √ Imponer elecciones o creencias espirituales y religiosas
- √ Impedir el derecho a la libertad de religión o culto
- √ Utilizar aisladamente textos bíblicos a su propia conveniencia, como, por ejemplo: "las mujeres están sujetas a la ley del marido", "el marido es cabeza de la mujer", etc.
- √ No respetar o burlarse de las convicciones espirituales o religiosas de la pareja
- √ Reprimir la expresión espiritual de la pareja
- √ Negar a la pareja cualquier acceso a sus conexiones espirituales o religiosas

"Porque la mujer casada está sujeta por la ley al marido mientras éste vive; pero si el marido muere, ella queda libre de la ley del marido."

**Romanos 7:2**

**Abuso Infantil**

Muy pocos consideran este abuso como parte de la violencia doméstica, sin embargo, es uno de los abusos con mayor impacto negativo en los hijos. Entre algunas de las características del abuso infantil, como parte de la violencia doméstica, tenemos:

- √ Exponer a los hijos a discusiones o actos de violencia
- √ Amenazar con llevarse a los hijos sin el consentimiento de la pareja
- √ Abusar psicológica o físicamente de los hijos
- √ Culpar a la pareja de algún comportamiento inadecuado de los hijos
- √ Utilizar a los hijos como intermediarios
- √ Usar a los hijos para hablar mal de la pareja

## Abuso Patrimonial o de Propiedad

El matrimonio es una institución en donde la pareja adquiere deberes y derechos, y todo lo que se adquiera dentro del matrimonio les pertenecerá a ambos. Sin embargo, algunas parejas incurren en abuso patrimonial con el fin de manipular, chantajear, intimidar, u obligar a la pareja a quedarse en la relación o para vengarse. Veamos algunas de las características más comunes de este abuso:

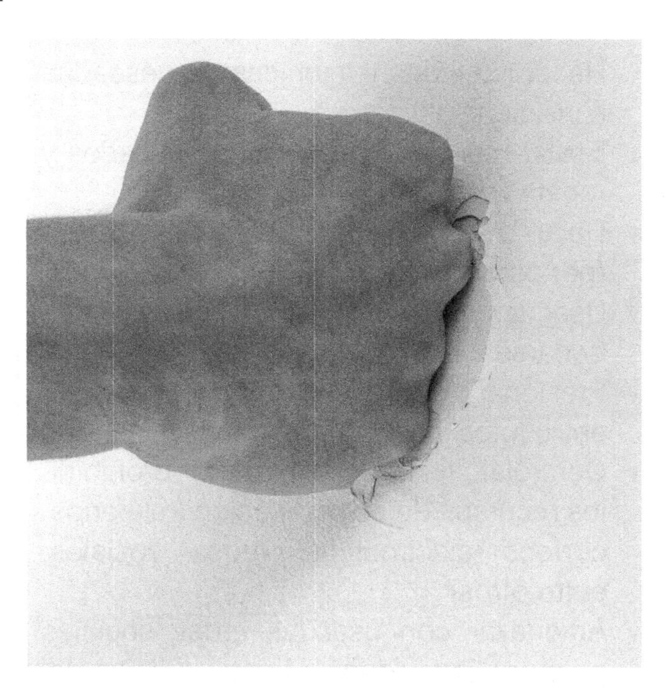

√ Destruir cualquier propiedad o bienes que pertenecen a ambos
√ Usar las propiedades en común como exclusivamente propias
√ Creerse dueño(a) de las propiedades porque las paga
√ Ocultar o destruir documentos de bienes de la pareja
√ Amenazar con despojar de las propiedades que les corresponde a ambos
√ Amenazar con echarlo(a) de la propiedad de ambos
√ Destruir o dañar el vehículo de la pareja o cualquier otro bien que le pertenece, aunque no lo haya comprado

## Abuso Animal

El abuso o crueldad animal dentro del contexto de las relaciones de pareja se da básicamente con la intención de vengarse con la mascota de la familia. Son muchas las formas de maltrato animal: desde no alimentar a una mascota hasta el extremo de la crueldad animal. Aquí algunas de las formas de abuso animal:

√ Abusar, maltratar o matar a la(s) mascota(s)
√ Amenazar con maltratar o matar a la(s) mascota(s)
√ Abandonar a la(s) mascota(s) fuera de casa
√ No alimentar correctamente a la(s) mascota(s)
√ No brindarle condiciones higiénico-sanitarias a la(s) mascota(s)
√ Privar de agua o alimento a la(s) mascota(s)

**Abuso Digital o Tecnológico**

Esta es una modalidad que en los últimos tiempos se ha venido haciendo cada vez más común, especialmente entre los adolescentes y jóvenes adultos. Este tipo de abuso utiliza llamadas, mensajes de texto o las redes sociales a través de los dispositivos electrónicos como los celulares, tabletas o computadoras, para manipular, chantajear, amenazar, intimidar y hostigar a la pareja. El abuso digital puede incluir:

- √ Hacer llamadas telefónicas no deseadas e insistentes
- √ Enviar mensajes de texto no deseados y repetitivos
- √ Dejar o enviar mensajes amenazantes (por escrito o de voz)
- √ Usar las redes sociales para molestar, burlarse u hostigar
- √ Presionar o manipular a la pareja para que envíe fotos íntimas o del cuerpo desnudo
- √ Controlar, limitar, restringir o prohibirle los recursos de comunicación (teléfonos, correos electrónicos, redes sociales, entre otros)
- √ Amenazar con usar las redes sociales para publicar vídeos o fotos íntimas o del cuerpo desnudo de la pareja
- √ Impedirle ver sus programas o series favoritas
- √ Instalar aplicaciones en los móviles de la pareja, sin su consentimiento o conocimiento, para saber dónde está, con quién se comunica y tener acceso a detalles de las comunicaciones de su pareja
- √ Exigirle a la pareja las contraseñas de sus redes sociales, móviles, correos electrónicos, etc.
- √ Exigirle que responda los mensajes de texto o llamadas de forma inmediata
- √ Usar la tecnología electrónica para monitorear a la pareja dentro y fuera de la casa

# La Rueda de la Violencia Doméstica

Esta página fue dejada en blanco intencionalmente.

# ::: Hoja de Actividad #3 :::

**Lista de comportamientos abusivos en los que he estado involucrado(a) durante mi historial de relaciones de pareja**

(Marque cada uno de los que aplica en su caso personal y sea lo más honesto(a) posible. De ser necesario, utilice la lista de los diferentes tipos de abuso descritos anteriormente)

**ABUSO FÍSICO**

- ☐ Empujar
- ☐ Arañar
- ☐ Cachetear
- ☐ Morder
- ☐ Golpear o destruir objetos para intimidar
- ☐ Golpear físicamente con el cuerpo
- ☐ Golpear con un objeto
- ☐ Asfixiar o sofocar
- ☐ Estrangular o intentar estrangular
- ☐ Sujetar en contra de la voluntad
- ☐ Encerrarla/o en contra su voluntad
- ☐ Conducir agresivamente en medio de una discusión con la pareja
- ☐ Amenazar con arrojarla/o de un auto
- ☐ Arrojar objetos a la pareja
- ☐ Amenazar con un arma (pistola/cuchillo u otro)
- ☐ Amenazar con abandonarle en lugares peligrosos
- ☐ Evitar que duerma o descanse
- ☐ Patear el cuerpo
- ☐ Jalar el cabello
- ☐ Pellizcar
- ☐ Manotear
- ☐ Escupirle el cuerpo
- ☐ Usar la fuerza para impedir su salida de un lugar cerrado
- ☐ Hacerle gestos corporales de amenaza
- ☐ Otros no mencionados:
- ☐ ______________________
- ☐ ______________________
- ☐ ______________________
- ☐ ______________________
- ☐ ______________________

**ABUSO VERBAL**

- ☐ Gritar
- ☐ Insultar
- ☐ Amenazar verbalmente
- ☐ Intimidar
- ☐ Quejarse injustificadamente
- ☐ Humillar en público o privado
- ☐ Actuar sarcástica o burlonamente
- ☐ Ignorar a la pareja mientras habla
- ☐ Dominar las conversaciones o discusiones
- ☐ Murmurar
- ☐ Utilizar el silencio total ("Ley del hielo")
- ☐ Negarse a hablar de la relación o cualquier otro tema de interés
- ☐ Exigir ser escuchado(a) y luego no querer escuchar
- ☐ Otros no mencionados:
- ☐ ______________________
- ☐ ______________________
- ☐ ______________________
- ☐ ______________________
- ☐ ______________________

## ABUSO PSICOLÓGICO/EMOCIONAL

- ☐ Criticar constantemente con la intención de hacer sentir mal
- ☐ Rechazar directa o indirectamente
- ☐ Culpar de no ser merecedor(a) de atención o afecto
- ☐ Hacer comentarios negativos sobre su personalidad
- ☐ Acusar falsamente
- ☐ Chantajear emocionalmente
- ☐ Pretender hacer "recordar" o "inventar" cosas que no sucedieron
- ☐ Inculcar miedo, y que sin él (ella) no es nadie
- ☐ Juzgar todo lo que hace o dice
- ☐ Culpar exclusivamente a la pareja de los problemas de la relación
- ☐ Organizar el tiempo libre de la familia o pareja, sin consultar
- ☐ Minimizar los logros de la pareja y magnificar sus errores
- ☐ Ridiculizar, burlarse o no respetar sus creencias personales
- ☐ Amenazar con suicidarse si deja la relación
- ☐ Ignorar sus sentimientos intencionalmente
- ☐ No querer recordar nada de lo sucedido de manera intencional
- ☐ Ignorar mientras se queja
- ☐ Culpar de algún comportamiento inadecuado de los hijos
- ☐ Silbar o chiflar, en lugar de llamarle por su nombre
- ☐ Hacer sonar/tronar los dedos (casquear) para pedir algo
- ☐ Amenazar con matar a la pareja o algún familiar si deja la relación
- ☐ Responsabilizar por su estado de ánimo
- ☐ Amenazar con dejar la relación por su culpa
- ☐ Poner apodos o sobrenombres
- ☐ Usar la raza, grupo étnico, clase social, edad, discapacidad física o mental, o condición migratoria, para manipular, discriminar o hacer daño
- ☐ Imponer valores, creencias, criterios u opiniones
- ☐ Mostrar privilegios de masculinidad durante la relación
- ☐ Imponer ser el "Rey" de la casa
- ☐ Mostrar frialdad o indiferencia en la relación
- ☐ Decirle que esta "loca" o "loco"
- ☐ Forzar a tatuarse el nombre de la pareja
- ☐ Otros no mencionados:
- ☐ ______________________________
- ☐ ______________________________
- ☐ ______________________________

## ABUSO SEXUAL

- ☐ Imponer que use ropa de forma sexual en contra de su voluntad
- ☐ Ponerle nombres sexuales denigrantes ("puta", "perra", etc.)
- ☐ Obligar a desnudarse
- ☐ Forzar a tener alguna actividad sexual no deseada
- ☐ Penetrar intencionalmente con un objeto extraño el órgano sexual o el ano, sin su consentimiento
- ☐ Negarse a usar condón
- ☐ Obligar a ver videos porno
- ☐ Criticar con la intención de hacer sentir mal sexualmente
- ☐ Insistir en estar íntimamente cuando no lo desea
- ☐ Utilizar imágenes o videos íntimos para humillar o chantajear
- ☐ Forzar a tener actos sexuales con otras personas
- ☐ Dejar marcas visibles (chupetones, moretones, "hickeys") sin su consentimiento
- ☐ Negarse a la intimidad sexual como castigo

- ☐ Impedir que use anticonceptivos
- ☐ Dejarla embarazada intencionalmente y sin su consentimiento
- ☐ Hacer videos del cuerpo desnudo o de actos sexuales sin su consentimiento
- ☐ Exponer a la pareja al VIH u otras infecciones transmitidas sexualmente
- ☐ Hacer comentarios negativos del cuerpo de la pareja
- ☐ Comparar sexualmente a la pareja
- ☐ Amenazar de buscar sexo en la calle si se niega a estar con él o ella
- ☐ Otros no mencionados:
- ☐ ____________________
- ☐ ____________________
- ☐ ____________________
- ☐ ____________________
- ☐ ____________________
- ☐ ____________________

**ABUSO FINANCIERO**

- ☐ Tomar como exclusivo los ingresos económicos de ambos
- ☐ Negarle acceso al dinero
- ☐ Retener dinero injustificadamente
- ☐ Negar el dinero para los gastos básicos
- ☐ Dar prioridad o gastarse el dinero en adicciones (alcohol, drogas, juegos, etc.)
- ☐ Negarse a asumir responsabilidades financieras de la pareja o familia
- ☐ Negarse a devolver dinero de la pareja
- ☐ Amenazar o negar pagar por el apoyo financiero de los hijos (manutención)
- ☐ Dar prioridad sólo a sus gastos personales
- ☐ Ocultar dinero o activos (cuentas bancarias, inversiones, bonos, etc.)
- ☐ Agotar o malgastar las cuentas financieras de la pareja o la familia
- ☐ Impedir que trabaje fuera de casa o tenga sus propios ingresos
- ☐ Hacerle dependiente económicamente
- ☐ Obligar a trabajar fuera de casa y hacerse cargo de los hijos al mismo tiempo
- ☐ Abusar de tarjetas de crédito o endeudarse sin el consentimiento de la pareja
- ☐ Negarse asumir responsabilidades financieras o no pagar deudas
- ☐ Otros no mencionados:
- ☐ ____________________
- ☐ ____________________
- ☐ ____________________

**ABUSO SOCIAL**

- ☐ Alejarle de familia y amistades
- ☐ Juzgar, criticar, imponer la ropa que se pone para vestirse
- ☐ Impedir verse o comunicarse con familiares y amistades
- ☐ Mostrar conductas de celos injustificados
- ☐ Mostrar comportamientos posesivos y controladores con el tiempo de la pareja
- ☐ Querer saber todo del tiempo de las actividades y ubicación de la pareja: "dónde", "con quién está", "qué está haciendo", "por cuánto tiempo va a estar fuera de casa", etc.
- ☐ Controlar, limitar, y restringir los recursos de comunicación (teléfono, correspondencia, redes sociales, correos electrónicos, entre otros)
- ☐ Impedir o interferir con su desarrollo personal, educacional, profesional o de trabajo (que estudie, vaya al gimnasio, haga labor comunitaria, etc.)
- ☐ Exigir "pedir permiso" para salir a la calle para a hacer cualquier actividad
- ☐ Impedir maquillarse o arreglarse a su gusto
- ☐ Otros no mencionados:
- ☐ ____________________
- ☐ ____________________
- ☐ ____________________

## ABUSO DE PROPIEDAD

- ☐ Destruir cualquier propiedad de la pareja o de ambos
- ☐ Disponer de las propiedades en común como exclusivamente propias
- ☐ Amenazar con despojar de las propiedades que les corresponde a ambos
- ☐ Creerse exclusivo de las propiedades en común, sólo porque las paga
- ☐ Amenazar con echarle del hogar, sólo porque paga la propiedad
- ☐ Otros no mencionados:
- ☐ ______________________________

## ABUSO INFANTIL

- ☐ Exponer a los hijos a discusiones o actos de violencia
- ☐ Amenazar con llevarse a los hijos sin su consentimiento
- ☐ Abusar física y psicológicamente de los hijos
- ☐ Culpar a la pareja de algún comportamiento inadecuado de los hijos
- ☐ Utilizar a los hijos como intermediarios o mensajeros
- ☐ Usar a los hijos para hablar mal de la pareja
- ☐ Otros no mencionados:
- ☐ ______________________________

## ABUSO ANIMAL

- ☐ Maltratar, abandonar, matar una mascota con la intención de vengarse de la pareja
- ☐ Dejar a la mascota a la intemperie o en la calle
- ☐ Privar de agua o alimento a las mascotas como una forma de castigar a la pareja
- ☐ Otros no mencionados:
- ☐ ______________________________

## ABUSO ESPIRITUAL

- ☐ Imponer elecciones, convicciones o creencias espirituales o religiosas
- ☐ Impedir el derecho a la libertad de religión o culto
- ☐ No respetar o burlarse de las convicciones espirituales o religiosas de la pareja
- ☐ Reprimir la expresión espiritual de la pareja
- ☐ Negar a la pareja cualquier acceso a sus conexiones espirituales o religiosas
- ☐ Utilizar pasajes bíblicos aisladamente a su conveniencia, como que "las mujeres están sujetas a la ley del marido", "que el marido es cabeza del hogar", etc. (Romanos 7:2, Efesios 5:22&23)
- ☐ Otros no mencionados:
- ☐ ______________________________

## ABUSO DIGITAL O TECNOLÓGICO

- ☐ Enviar o dejar mensajes amenazantes, insistentes o no deseados (por escrito o de voz)
- ☐ Hacer llamadas telefónicas no deseadas e insistentes
- ☐ Usar las redes sociales para molestar, burlarse u hostigar
- ☐ Presionar o manipular a la pareja para que le envíe fotos íntimas
- ☐ Amenazar con usar las redes sociales para publicar vídeos o fotos íntimas
- ☐ Instalar dispositivos electrónicos para monitorear a la pareja
- ☐ Demandar tener acceso a las comunicaciones de la pareja
- ☐ Exigir las contraseñas de sus redes sociales, móviles, etc.
- ☐ Exigir responder mensajes (texto/llamadas) inmediatamente
- ☐ Otros no mencionados:
- ☐ ______________________________

Nombre: ______________________________________ Fecha: ______________

# ::: Hoja de Actividad #4 :::

## Características de los Diferentes Tipos de Abuso en Violencia Doméstica

1. Antes de empezar con el programa de violencia doméstica, ¿cuáles son los tipos de abuso en las relaciones de pareja que conocía y los que no conocía?

a. Conocía: ______________________________

______________________________

______________________________

______________________________

______________________________

b. No Conocía: ______________________________

______________________________

______________________________

______________________________

______________________________

2. ¿Cuáles fueron los posibles comportamientos abusivos involucrados con la víctima de su caso legal de violencia doméstica?

______________________________

______________________________

______________________________

______________________________

3. ¿Cuáles son los diferentes tipos de abuso que reconoce haber cometido en su historial de relaciones de pareja?

______________________________

______________________________

______________________________

______________________________ Continúa >>>

4. ¿Cómo cree que esta actividad le ayudará a trabajar en sus metas para la prevención de una posible recaída en comportamientos agresivos o abusadores con su pareja o futura pareja?

______________________________________________________________________________

______________________________________________________________________________

______________________________________________________________________________

______________________________________________________________________________

Nombre: ________________________________________________ Fecha: ______________

# ::: Sesión 3 :::

## Identificando Patrones de Comportamientos Abusivos, Controladores y Agresivos

**Objetivos**

a. Identificar los comportamientos abusivos, controladores y agresivos en las relaciones de pareja.
b. Reconocer que los comportamientos abusivos, controladores y agresivos en las relaciones de pareja son inaceptables y tienen consecuencias.

*Mi nombre es Juan y he estado felizmente casado con mi esposa por casi seis años, tenemos dos hijos juntos de cinco y tres años. Todo iba bien en mi matrimonio hasta que ella cambió de la noche a la mañana, y se enojaba por cualquier cosa. Yo le decía que tenía que cambiar su forma de ser conmigo, y que "si en verdad me quería", como ella decía, hubiera hecho todo lo posible por cambiar, pero nunca quiso hacerlo, y me he sentido frustrado todo este tiempo.*

*Yo trabajaba duro para darle una vida mejor a mis hijos, y que no les faltara nada, pues yo crecí en una familia muy pobre, con muchas carencias y mi padre siempre me enseñó que en la relación de pareja "el que paga, manda", y que el hombre "lleva los pantalones en el hogar".*

*Mi esposa últimamente se había venido quejando que el dinero no alcanzaba, y quería salir a trabajar para ayudarme con algunos gastos de la casa, pero yo nunca estuve de acuerdo, porque si se ponía a trabajar, iba a descuidar a los niños, y además yo trabajaba duro para que no les faltara nada.*

*Ella tenía ese mentado Facebook y otras tantas aplicaciones en su celular, y se comunicaba con personas que yo ni sabía quiénes eran. Yo creo que se la pasaba todo el día con su celular y descuidaba sus responsabilidades domésticas. Por eso yo le pedí que borrara todas esas aplicaciones, y además le prohibí ir a la iglesia, porque sólo era un pretexto para estar saliendo con sus "amiguitas" que lo único que hacían eran "lavarle el cerebro" a mi esposa. Un día yo le dije que ella tenía que "escoger" entre sus amigas o yo.*

*Yo casi siempre llegaba a casa tarde de trabajar, y lo único que quería era comer, descansar y tomarme unas cervezas, y parecía que ella no entendía que, si yo trabajaba duro, al menos me merecía que me atendieran bien, sin embargo, no lo hacía. A veces mejor ya no le decía nada, porque parecía una "loca", y se ponía a llorar si le llamaba la atención. Para no discutir con ella, mejor me salía con mis amigos a tomar unas cervezas al bar.*

*Muchas veces me hacía enojar porque no quería "cumplir" con sus obligaciones de esposa, y se negaba estar conmigo en la intimidad. Yo creo que, si no quería estar íntimamente conmigo, es porque seguramente ya "traía a alguien más", y eso fue la razón que algunas veces mejor me salía a buscar en la calle lo que "ella no me daba".*

*Otra cosa es que ella sabía muy bien que no me gustaba ver la casa sucia, ni que los niños estuvieran descuidados; sin embargo, no limpiaba bien la casa, no sabía cocinar, y los niños muchas veces andaban sucios y descuidados. Por culpa de ella yo perdía la paciencia y explotaba, teniendo que gritarles y pegarles a mis hijos y hasta a la mascota de la casa.*

*La última vez que había salido a tomar con mis amigos, llegué a casa como a la una de la mañana y de "buena manera" le pedí que me sirviera algo de comer. Ella no quiso levantarse de la cama, entonces fue que me dio mucho coraje y le dije sus verdades en su cara, que era una "ociosa", "estúpida", y "que no servía para nada". Ella me insultó diciéndome que yo era "poco hombre", y eso me hizo enfurecer porque me faltó el respeto, y fue cuando me hizo perder el control y le agarré fuerte la cara con mi mano para que se callara y luego tiré un florero en el piso para que parara con todo esto y no siguiera con lo mismo.*

*En medio de la discusión, ella dijo que se iba a llevar a los niños de la casa, y fue por ellos a su cuarto y los despertó, y amenazó con llamar a la policía; fue entonces que yo agarré su teléfono y se lo rompí. Le dije que, si quería irse que se vaya sola, pero que no se llevara a mis hijos, y los niños empezaron a llorar al escucharnos discutir y vernos pelear.*

*Luego mi esposa quiso agarrar las llaves de mi carro para irse, y forcejeamos porque quise quitarle las llaves, y en el forcejeo la lastimé "sin querer". Yo creo que los vecinos chismosos llamaron a la policía, porque de repente tocaron la puerta y había dos policías. Ella estaba llorando, porque como siempre es una dramática, y le dijo a la policía que yo la había agredido. Todo lo que ella dijo fue mentiras. Yo nunca la golpeé y además ella empezó todo esto. Los policías no quisieron escuchar toda mi versión, y me arrestaron.*

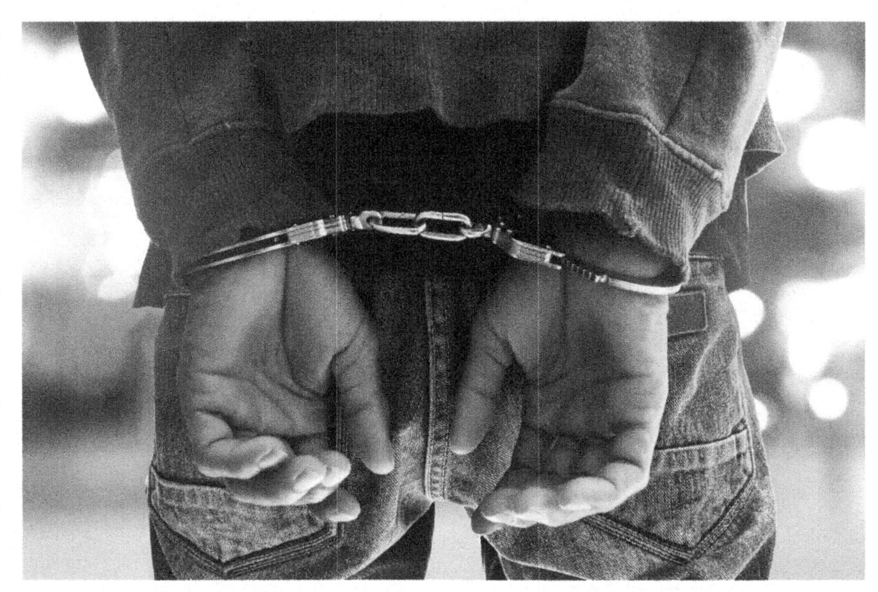

*Ahora estoy aquí en este lugar para tomar unas "clasecitas" de violencia doméstica, pero no creo que necesite esto. Además, no me interesa compartir mi vida personal con personas que ni siquiera conozco. Yo me declaré culpable para terminar con este caso, y me sentenciaron por violencia doméstica. Si yo hubiera querido seguir "peleando" el caso legal, tal vez lo hubiera ganado, pero no quería seguir alargando todo esto en las cortes, perder más tiempo, y además no tenía dinero para pagar un buen abogado.*

*Desde que me arrestaron no he visto a mi esposa, ni a mis hijos, porque me pusieron una orden de restricción y alejamiento para con ella y los niños. La verdad que me parece injusto todo esto y considero que es un abuso del sistema judicial, y ahora no me queda otra cosa que cumplir con las condiciones de mi libertad condicional, de lo contrario tendría que pagar con cárcel. Por otra parte, considero que ella es la que debería estar aquí en este grupo de terapia, porque la del problema es ella, no yo.*

# ::: Hoja de Actividad #5 :::

## Identificando Patrones De Comportamiento Abusivo y Agresivo

1. Después de leer el testimonio de Juan, ¿Qué opina de la actitud de Juan? Explique:

______________________________________________

______________________________________________

______________________________________________

______________________________________________

2. ¿Se identifica usted con alguno de los comportamientos, pensamientos o creencias en la historia de Juan? Explique:

______________________________________________

______________________________________________

______________________________________________

______________________________________________

3. ¿Qué actitudes y comportamientos considera que son abusivos, agresivos y controladores de parte de Juan?

______________________________________________

______________________________________________

______________________________________________

______________________________________________

4. ¿Considera usted que el arresto como ofensor y la sentencia por violencia doméstica de Juan fue justo o no? Explique:

______________________________________________

______________________________________________

______________________________________________

______________________________________________

______________________________________ Continúa >>>

5. ¿Cree que Juan, como ofensor, pueda cambiar sus actitudes, comportamientos y creencias relacionados con las relaciones de pareja y la violencia doméstica? ¿por qué sí o por qué no? Explique:

_______________________________________________

_______________________________________________

_______________________________________________

_______________________________________________

Nombre: _______________________________ Fecha: __________

# ::: Sesión 4 :::

## Ciclo de la Violencia Doméstica

### 1. Objetivos

a. Comprender y aprender las fases del ciclo de la violencia doméstica.
b. Identificar patrones de comportamientos abusivos en los que ha estado involucrado durante sus relaciones de pareja y cómo éstas terminaron en fases explosivas y repetitivas.

### 2. El enamoramiento

La palabra enamoramiento pareciera estar compuesta por las sílabas: "en-amor-miento", pero ¿qué hay de cierto en esto? Es posible que algo tenga de verdad considerando que durante el enamoramiento muchas veces se aparenta, se busca impresionar y hasta se miente con el fin de convencer que él o ella es la mejor elección.

El enamoramiento se puede vivir como una fantasía, impidiendo ver al ser amado en su plenitud, pues sólo suele verse algunas de sus partes, como aquellas que sólo desea ver, lo que se desea que tenga o lo que le conviene que posea. Convirtiéndose así en la "pareja ideal" en base a las propias fantasías de quien se siente enamorado.

### 3. Del apasionamiento al amor

Si después de la idealización de la persona de la que se está enamorado, descubre que le sigue llenando, le sigue gustando y decide compartir su vida con ella o él; entonces está pasando al amor. En esta etapa se empiezan a dejar las reacciones físicas típicas de la etapa del enamoramiento y apasionamiento, dando lugar a un amor profundo y comprometido, en el que los dos miembros de la pareja se preocupan el uno por el otro y se cuidan mutuamente. Esto no significa que el apasionamiento no es bueno, al contrario, es maravilloso. Sin embargo, es sólo el principio de una relación de pareja.

El amor en pareja requiere tiempo para conocerse mutuamente, así como conocer sus virtudes, valores, defectos, etc., e identificar las ventajas y desventajas de iniciar esa relación. El amor verdadero está basado en la realidad, no en un sueño de que encontró a su príncipe azul o a su princesa encantada. Saber que encontró a una persona maravillosa es importante; pero es crucial el aceptar que esta persona no es perfecta. Aunque piense que encontró a su alma gemela, no debe olvidar que los gemelos también discuten y tienen diferencias.

Las discusiones, tensiones o desacuerdos no sólo son parte de las relaciones de pareja, muchas veces son hasta necesarias y ayudan a fortalecer y mantener una relación sana. Identificar y resolver las tensiones adecuada y oportunamente, puede ser la diferencia entre estar en una relación sana o caer en un ciclo repetitivo de la violencia doméstica.

### 4. ¿Qué es el ciclo de la violencia doméstica?

El ciclo de la violencia doméstica es un comportamiento que comúnmente se presenta en las relaciones abusivas. Este comportamiento, como parte de la violencia doméstica, puede darse como un ciclo repetitivo o acumulativo, y puede durar meses, años o toda una vida.

El ciclo de la violencia doméstica es una dinámica en las relaciones de parejas abusivas que se caracterizan por una serie de fases que van de menos a más. En la película mexicana "Cicatrices", podemos ver claramente cómo estas fases se van presentando progresivamente. A continuación, se describen cada una de estas fases.

### 5. Fases de la violencia doméstica

**a. Primera Fase, Tensión:** Esta fase es la de acumulación de tensiones y resistencias. Durante esta fase a veces se hace difícil identificar al abusador(a) como agresor(a). Es la fase más larga, y usualmente la pareja agresiva inicialmente suele ser tolerante, flexible y hasta agradable. Luego él o ella empieza a molestarse por pequeñas cosas que antes las pasaba por desapercibido, y es cuando se empieza a criticar por la forma de como su pareja se viste, que si la comida no está a la hora, que si sale a la calle muy seguido, cuestiona sus amistades, se molesta si no le contesta el teléfono inmediatamente, muestra conductas de celos injustificados, etc. Cualquier situación puede ser motivo para justificar sus reacciones agresivas.

Durante esta fase, se va edificando y fortaleciendo progresivamente una tensión en la relación, y la víctima puede llegar a sentir una presión creciente del poder y del control que quiere ejercer su pareja, e intenta justificar sus reacciones o busca controlar al agresor(a) para evitar cualquier reacción violenta de parte de éste, hasta llegar a sentirse como "caminando sobre cascaras de huevo" (refrán que hace referencia de andar sobre cáscaras de huevos sin romper las cascaras o sin hacer ruido, por mucho cuidado que se ponga en ello). Esto muestra la imposibilidad de "no molestar" o "provocar" las reacciones airadas del agresor(a), por mucho tacto y cuidado que ponga la víctima.

**b. Segunda Fase, Explosión:** Muchas veces cuando la tensión acumulada se ha intensificado, ésta puede llegar a un nivel de explosión que va acompañado comúnmente de agresión física o verbal. Esta puede llegar a ser muy peligrosa para la víctima, pues aquí el abusador pierde el control y descarga su ira contra la pareja.

Después de un período de explosión de la violencia, es probable que la pareja se deje de hablar por algunas horas, días o semanas; y el abusador(a) trate de minimizar su reacción agresiva, culpe a la víctima de sus reacciones, y algunas veces llegue a actuar como si nada hubiera pasado.

**c. Tercera Fase, Reconciliación o Luna de Miel:** Después de una aparente calma, el agresor(a) pretende sentirse "arrepentido(a)", pide disculpas, muestra una conducta sublime, cariñosa, comprensiva, hace promesas que no volverá a reaccionar de esa manera agresiva, y trata de convencer a su pareja que él o ella "seguirá siendo buena gente", que todo va a ser diferente a partir de ahora y que volverán a ser felices. Algunas veces el agresor lleva a la víctima, flores, corazones, chocolates, invita a cenar, etc., con el fin de "idealizar" el romanticismo de la relación. En esta fase, aparentemente se llega nuevamente a la calma, y él o ella trata de hacer los cambios que se comprometió hacer. Pero estos cambios sólo duran unos días o semanas.

### 6. ¿Qué pasa si no se es consciente de este ciclo de la violencia doméstica?

De continuar en la misma relación, y si no se manejan adecuada y oportunamente las discusiones durante la fase de la tensión, con el tiempo se seguirán acumulando las presiones, y así tomará el ciclo de la violencia nuevamente su rumbo con un nuevo estallido o explosión, regresando a la reconciliación, y repitiéndose el mismo proceso en períodos cada vez más cortos, más intensos y hasta más peligrosos.

### 7. ¿Cuándo termina este ciclo de la violencia doméstica?

Si la pareja abusiva no toma conciencia del poder y control que quiere imponer en la relación o la víctima no hace nada para detener el abuso, este ciclo puede acabar cuando:

a. El abuso tiene consecuencias irreversibles o graves, y la víctima puede terminar hospitalizada o enterrada.
b. Interviene la policía con la ayuda de terceros.
c. La víctima decide reportar o denunciar legalmente al ofensor.
d. Uno de los dos o la pareja decide alejarse de la relación definitivamente.

Hay que tener en cuenta que este ciclo de la violencia doméstica puede llegar a ser intergeneracional, es decir, que no sólo termina con el alejamiento de la relación abusiva y tóxica, sino que también se extiende a futuras relaciones de pareja, especialmente cuando los hijos han presenciado este tipo de violencia entre sus padres o adultos que los criaron.

## Ciclo de la Violencia Doméstica

# ::: Hoja de Actividad #6 :::

**Ciclo de la Violencia Doméstica**

1. Durante su niñez, ¿ha experimentado este ciclo de la violencia entre sus padres, familiares, otros adultos, telenovelas, etc.?

_______________________________________________

_______________________________________________

_______________________________________________

_______________________________________________

_______________________________________________

2. Durante su relación o historial de relaciones de pareja ¿reconoce haber estado involucrado en este ciclo de la violencia doméstica? ¡Explique!

_______________________________________________

_______________________________________________

_______________________________________________

_______________________________________________

_______________________________________________

3. Como parte de su Plan Personal de prevención de recaída en violencia doméstica, ¿cómo va a utilizar lo aprendido en este tema en su actual o futura relación de pareja?

_______________________________________________

_______________________________________________

_______________________________________________

_______________________________________________

_______________________________________________

Nombre: ______________________________ Fecha: ____________

Esta página fue dejada en blanco intencionalmente.

# ::: Sesión 5 :::

## Errores de Pensamiento y Creencias Irracionales

### 1. Objetivos

a. Evitar que los errores de pensamiento y creencias irracionales lleguen a convertirse en hábitos peligrosos en sus relaciones interpersonales.
b. Reconocer que, como ofensor, su caso legal de violencia doméstica fue posible por las creencias y pensamientos distorsionados que se expresaron en sus conductas y actitudes inaceptables.
c. Identificar y desafiar los patrones de pensamientos y creencias irracionales (distorsiones cognitivas) que jugaron un papel como ofensor en su caso legal de violencia doméstica.
d. Aprender a identificar y cuestionar los errores de pensamiento y creencias irracionales para reemplazarlos con pensamientos y creencias acertadas y alentadoras.

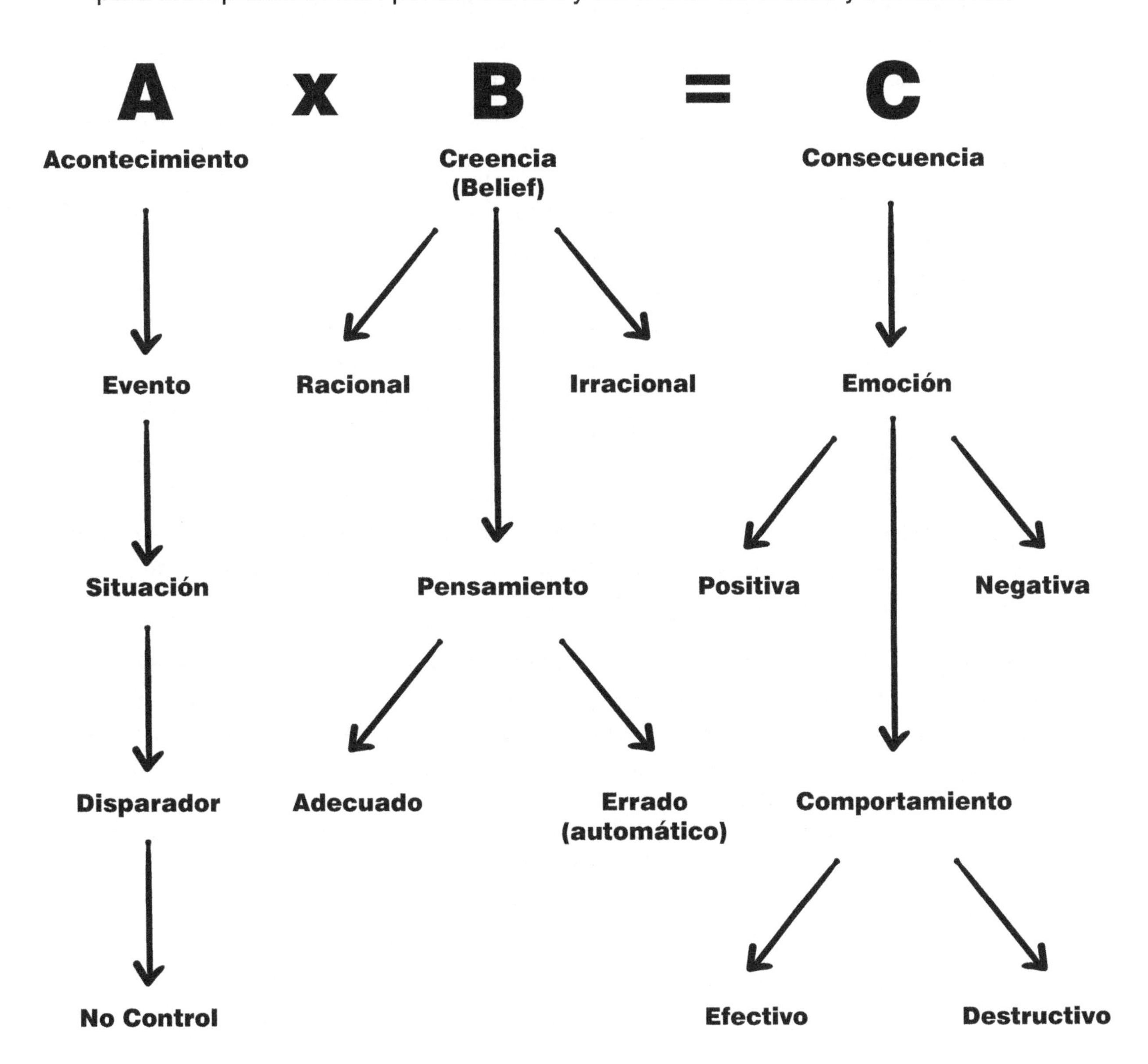

## 2. La Terapia Racional Conductual Emotiva (REBT)

Una de las teorías que explica la violencia familiar es la Terapia Racional Conductual Emotiva (REBT, por sus siglas en inglés), que fue originada por el psicólogo Albert Ellis. Esta teoría enfatiza los significados e interpretaciones que las personas dan a los eventos, en lugar de poner atención a los pensamientos y creencias en sí. Este enfoque terapéutico busca cambiar los patrones básicos de pensamientos disfuncionales de una persona al confrontar sus propias creencias irracionales y demostrar que son irrealistas e ilógicos.

## 3. La fórmula A-B-C basado en el enfoque de la Terapia Conductual Racional Emotiva

a. La Terapia Conductual Racional Emotiva se basa en la idea de que la manera de interpretar los hechos, eventos o circunstancias, así como las emociones y los comportamientos, son funciones humanas integradas como un todo.

b. Este enfoque terapéutico opera dentro de la relación interconectada a través de la fórmula de $A \times B = C$. Donde (A) se refiere a un acontecimiento o evento activador; que desencadena (B), una creencia racional o irracional; lo que resulta en (C) una consecuencia emocional o conductual. Esta consecuencia puede ser potencialmente positiva o destructiva (Lorcher 2003)

c. En la formula A-B-C del funcionamiento en el comportamiento humano, se define B como creencias que da lugar a las emociones y comportamientos. Si una persona quiere cambiar sus consecuencias negativas de sus comportamientos, tienen que reemplazar y sustituir sus creencias irracionales por otras racionales. (Wong 2008).

d. Cuando ocurren consecuencias indeseables o perjudiciales (es decir, C) dentro del sistema de las relaciones de pareja, éstas incluyen en gran medida todo tipo de creencias irracionales de las personas, como: demandas autoritarias, expectativas extremistas, exigencias poco realistas sobre las relaciones de pareja, etc. (Ellis 2001).

e. Si las creencias (B) en las relaciones de pareja son rígidas, excesivas, irracionales o insensibles, darán lugar a consecuencias emocionales y de comportamientos poco saludables (C). La violencia doméstica es una consecuencia de creencias poco saludables e irracionales de las relaciones de pareja, por lo que se convierten en un problema social que necesita intervención. La identificación de las creencias irracionales hacia la violencia doméstica funciona como una base para la prevención temprana y la intervención de las consecuencias fatales y las actitudes hacia la violencia (Sakar 2007; Siyez y Kaya 2010).

## 4. ¿Qué son los Errores de Pensamientos y Creencias Irracionales?

Las creencias irracionales y los errores de pensamientos, conocidos también como pensamientos automáticos (B), tienen que ver con la interpretación que se les da a las diversas situaciones o eventos que se viven externamente todos los días, y de las que no se tiene control (A). Hay situaciones que tenemos aceptar, nos guste o no, pues muchas veces no tienen nada que ver con la realidad del momento. Son ideas que se vienen a la mente y que pueden impedir ver o distorsionar la realidad tal como es; y esto puede afectar directa o indirectamente los estados de ánimo y comportamientos (C), llevándolos algunas veces a reaccionar de manera agresiva o violenta.

**5. Creencias irracionales y errores de pensamientos más comunes**

a. **Exagerar lo negativo (filtro mental):** Es cuando la persona sólo toma los detalles y mensajes negativos para amplificarlos y exagerarlos, mientras que ignora o minimiza todos los aspectos positivos de la situación. Esta persona piensa que las cosas son mucho peores de lo que realmente son. Ejemplo: "Desde que estoy metido en este problema, todo me sale mal".
b. **Pensamiento polarizado:** Si usted es de las personas que creen que las cosas sólo son blancas o negras, y que no existen términos medios, está destinado a evaluar las situaciones recurriendo a categorías extremas, blanco-negro, bueno-malo. Si comete cualquier error o imperfección se considerará un absoluto perdedor, y se sentirá inútil o sin valor. Ejemplo: "Después de lo que me pasó con mi expareja, nunca más podré confiar en alguien".
c. **Sobre generalización:** Es cuando se llega a una conclusión general a partir de un simple incidente, es decir, de una cosa puntual que le ha sucedido saca una conclusión negativa mucho más exagerada. Ejemplo: "Todas las personas son despreciables".
d. **Interpretación del pensamiento:** Sin mediar palabra, la persona cree saber o adivinar qué sienten o piensan los demás, sólo por la forma como se comportan o visten. Ejemplo: "Si me miró así, es porque no le caigo bien".
e. **Visión catastrófica:** Cuando la persona espera lo peor, magnifica los hechos por anticipado y sufre por adelantado. Ejemplo: "después de lo que me pasó, nunca más seré feliz".
f. **Personalización:** Cuando la persona se toma las cosas de manera personal y sufre porque cree que todo lo que la gente hace o dice es de alguna manera en contra de él o ella. Ejemplo: "Desde que me metí en este problema, todos están en mi contra".
g. **Falsedad de control:** Cuando la persona se siente externamente controlada o que no puede tomar control de la situación, y se siente desamparado, y víctima del destino. Ejemplo: "Mi pareja no me puede dejar, de lo contrario seré infeliz para siempre".
h. **Falsedad de la justicia:** La persona se resiente porque piensa que los demás no son justos simplemente porque no están acuerdo con él o ella. Ejemplo: "Es injusto que digan que yo soy el único responsable de lo que pasó".
i. **Culpabilidad:** La persona cree firmemente que los demás son los responsables de su dolor emocional. Ejemplo: "Mi pareja es responsable de lo que pasó con este caso de violencia doméstica, porque me hizo enojar y yo sólo me defendí".
j. **Radicalismo:** Esta persona es rígida e inflexible con su sistema de creencias. Dicta sus propias normas sobre cómo deberían actuar los demás. Ejemplo: "El hombre es el que manda en las relaciones de pareja, le guste o no a la mujer".
k. **Razonamiento emocional:** Cree que todo lo que siente o piensa tiene que ser verdadero automáticamente. Ejemplo: "Siento que no soy suficientemente bueno".
l. **La falsedad de cambio:** Cree necesitar cambiar a la gente porque sus esperanzas de felicidad dependen enteramente de los demás. Ejemplo: "Sería inmensamente feliz si mi pareja fuera como yo quiero".
m. **Tener la razón:** Continuamente esta persona está en un proceso para probar que sus opiniones y acciones son correctas. Y hará cualquier cosa para demostrar que

siempre tiene la razón. Ejemplo: "Si lo dije, fue porque yo sabía que nunca me equivoco".

n. **La falacia de la recompensa:** Espera cobrar algún día todo el sacrificio y generosidad, o que el castigo, tarde o temprano llegará a quien se lo merece, como si alguien le llevara las cuentas. Esta persona se sentirá frustrada cuando compruebe que la recompensa o el castigo no llega. Ejemplo: "De lo que estoy seguro es que esa persona algún día pagará por todo lo que me ha hecho".

Como podemos ver existen muchos errores de pensamientos, y lo importante es detectarlos a tiempo y cambiarlos.

### 6. Cuestione sus propias creencias

Cuanto más severas, rigurosas, extremistas, obsesivas, radicales y dogmáticas son sus creencias, es más probable que caiga en un error o padecimiento emocional o actúe de manera equivocada. Si usted es de esas personas que se aferra a una manera de pensar o creencia, sólo porque así lo siente, o porque así lo ha creído toda la vida, tenga mucho cuidado.

Algunas veces es necesario cuestionar los pensamientos y creencias, y preguntarse qué tan ciertos son esos pensamientos o creencias. Investíguese a sí mismo, póngase a prueba, active su lógica y su capacidad de razonar para encontrar las pruebas o comprobar si sus pensamientos o creencias son verdaderos o no.

### 7. Confronte sus pensamientos, en lugar de evitarlos

Desafortunadamente, ignorar los errores de pensamientos o creencias irracionales no le permite evitarlos. Cuanto más tiempo continúe pensando, creyendo y actuando de la misma manera, ¡más persistirán! No tiene sentido tratar de negarlos o evadirlos. Recuerde, un problema es una oportunidad para analizar el proceso de pensamiento, reinterpretar positivamente un evento negativo y hacer el cambio o cambios necesarios.

### 8. Preste atención a sus pensamientos

Manténgase en contacto con su voz interior para poder erradicar sus propios pensamientos irracionales y reemplazarlos con positividad y crecimiento. Muchas veces los pensamientos no son razonables o son poco realistas; sin embargo, parecen razonables y correctos para usted en el momento, pero no sirven para nada, todo lo que hacen es hacerle sentir mal e interfieren con lo que realmente quiere conseguir de la vida. Si lo piensa con cuidado, probablemente encontrará que ha llegado a una conclusión que no es necesariamente correcto lo que está pensando.

### 9. Modificando los errores de pensamientos y creencias negativas

Los errores de pensamiento y creencias irracionales son los principales generadores de las emociones y comportamientos destructivos e inapropiados, por eso es importante aprender a neutralizar, sustituir y remplazar una creencia irracional o un pensamiento errado (automático) por otra forma racional, positiva y adecuada y así liberarnos de cualquier perturbación o emoción destructiva o negativa.

Los sentimientos vienen determinados por los pensamientos y por la manera en la que se interpreta lo que le sucede a cada uno. Por ello, al cambiar una forma de pensar equivocada, modificará las emociones y las conductas también variarán.

### 10. ¿Cómo hacer frente a los errores de pensamientos o creencias irracionales?

Cada vez que piense en una situación en términos de “nunca”, “siempre”, “todo”, “nada”, “nadie”, etc., pare, escúchese y vuelva a reinterpretar la misma situación, y responda a algunas de las siguientes preguntas:

a. ¿Qué certeza tengo para apoyar esta manera de pensar?
b. ¿Qué evidencia tengo en contra de estos pensamientos?
c. ¿Ocurre así el 100% de las veces?
d. ¿Es probable que ocurra de otra forma?
e. ¿Qué opciones tengo ahora?
f. ¿Qué tan realistas o irrealistas son mis pensamientos?
g. ¿Estoy pensando en términos de todo o nada?
h. ¿Me estoy condenando a mí mismo(a) como la peor persona sobre la base de una sola situación?
i. ¿Me estoy concentrando en mis debilidades y dejando de lado mis fortalezas?
j. ¿Me estoy dejando llevar por mis emociones?
k. ¿De qué forma esta manera de pensar me podría perjudicar en lo personal?
l. Si no actúo de manera diferente, ¿siempre me ocurrirá lo mismo?
m. ¿De qué forma esta manera de pensar podría perjudicar o seguir perjudicado a otras personas?

En el momento que usted logra escucharse a sí mismo (discurso interno), y decide dejar de lado el piloto automático de sus pensamientos, es cuando ha decidido reaccionar de manera constructiva y crear nuevas alternativas de vida.

**En esta imagen hay 2 cuadrados. ¿Son los cuadrados de igual o de diferente color?**

Luego de responder, intente ahora cubrir la línea que separa los cuadrados, y responda nuevamente a la pregunta de si los cuadrados son de igual o diferente color. Esto es lo que se llama distorsión de percepción. Así funcionan muchas veces los pensamientos distorsionados.

*(Imagen basada en: Serie de Juegos Mentales de National Geographic)*

# ::: Hoja de Actividad #7 :::

## Errores de Pensamiento y Creencias Irracionales

1. ¿Cuáles cree que han sido sus errores de pensamiento o creencias irracionales que estuvieron relacionados con su caso legal de violencia doméstica?

2. ¿Durante su historial de relaciones de pareja, qué errores de pensamientos y creencias irracionales ha mantenido?
a. ¿Alguna vez exageró lo negativo con su pareja o expareja? Explique:

b. ¿Alguna vez generalizó una situación de discusión? Explique:

c. ¿Algunas veces se tomó las cosas de manera muy personal para sentirse la víctima? Explique:

d. ¿Ha tenido pensamientos absolutistas de todo o nada? Explique:

_______________________________________________

_______________________________________________

_______________________________________________

_______________________________________________

e. Frente a una situación de discusión, ¿ha llegado a conclusiones apresuradas? Explique:

_______________________________________________

_______________________________________________

_______________________________________________

_______________________________________________

f. ¿Ha llegado a magnificar o "catastroficar" alguna situación conflictiva?, Explique:

_______________________________________________

_______________________________________________

_______________________________________________

_______________________________________________

Nombre: ______________________________ Fecha: ____________

# ::: Sesión 6 :::

## Creencias y Actitudes Negativas Acerca de la Violencia Doméstica

### 1. Objetivos

a. Reconocer las creencias, actitudes y comportamientos que afectan negativamente las relaciones de pareja.
b. Identificar, eliminar y renunciar a las actitudes y comportamientos relacionados con las falsas creencias, y los privilegios de poder y control hacia la pareja.
c. Como ofensor de violencia doméstica, demostrar igualdad y respeto en las relaciones de pareja.

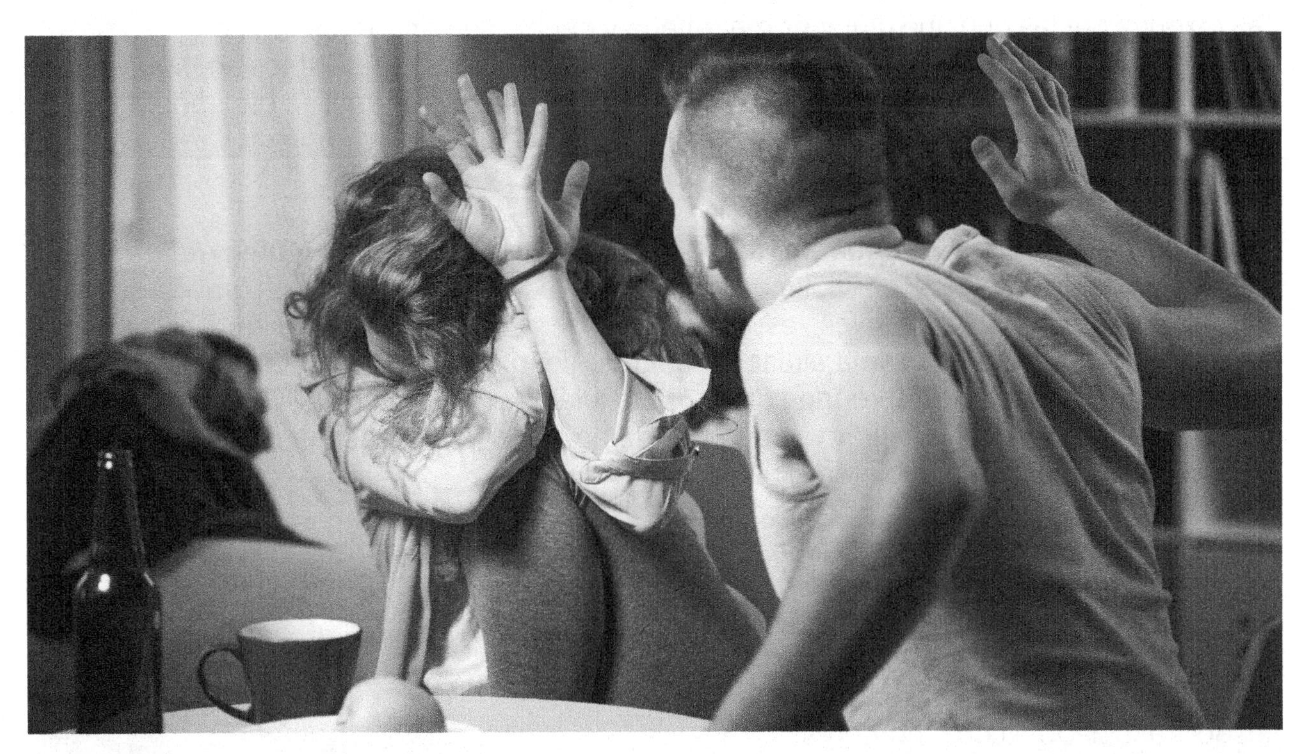

La violencia doméstica está enmarcada en una serie de mitos, tabúes, prejuicios, falsas creencias, y mensajes negativos que condenan muchas veces a las mujeres, principales víctimas, y justifican a los hombres abusadores. Es por eso por lo que ha existido mucha tolerancia social ante este tipo de patrones abusivos, con intensos sentimientos de culpa y vergüenza en las mujeres.

### 2. Las falsas creencias más comunes en las relaciones de pareja

***a. "Las mujeres son culpables de que los hombres las maltraten".***

**Realidad:** Muchas personas creen que cuando una mujer es maltratada, es por culpa de ella o porque ella ha dado algún motivo para que su pareja reaccione de manera agresiva o con violencia. La verdad es que muchas veces la mujer asume un rol pasivo y se reprime ante los comportamientos agresivos de su pareja, y el hombre suele utilizar cualquier tipo de abuso como parte del poder y control hacia su pareja. El maltrato o abuso no tiene justificación, y cada persona es responsable de sus propias reacciones. Culpar a alguien de las reacciones que se tienen, es una absurda justificación para no hacerse responsable de sus actos.

***b. "Una mujer casada debe tolerar a su pareja, aunque sea abusiva, porque el matrimonio es para toda la vida o hasta que la muerte los separe".***

**Realidad:** Una mujer no debe tolerar los comportamientos abusivos y maltratadores de parte de su pareja sólo para demostrar que lo quiere o que desea permanecer en la relación, sin importar el costo que esté pagando de continuar en una relación tóxica y abusiva. El amor no ata, no priva, ni manipula. El amor es la libertad de estar con una persona a quien se ama y quedarse con esa persona por libertad propia, sin ser sometida o abusada.

***c. "Si una mujer es maltratada continuamente, la culpa es de ella por seguir en la relación con ese hombre".***

**Realidad:** Muchas mujeres permanecen en relaciones abusivas con sus parejas por muchas razones, y eso no es motivo de culpas o vergüenzas. Esta falsa creencia no sólo responsabiliza a la mujer de los malos tratos de parte de su pareja, sino hasta la avergüenza. Las razones por las que una mujer es maltratada y decide seguir conviviendo con su agresor son muy variadas, incluyendo la dependencia económica, miedo a posibles amenazas, baja autoestima, inseguridad, creencias espirituales, presión social y familiar, etc., por lo que es muy importante conocerlas para no caer en la actitud de culpar, avergonzar y revictimizar a una mujer abusada.

***d. "La mujer tiene que aguantar los maltratos de su pareja por el bien de los hijos".***

**Realidad:** Ser testigos de violencia doméstica tiene consecuencias graves sobre el bienestar emocional de los hijos, especialmente si se tiene en cuenta que es probable que los hijos repitan esta misma situación cuando sean adultos y establezcan sus propias relaciones de pareja, pues aprenden que la violencia es una forma de solucionar conflictos. Frente a una situación de maltrato y abuso continuo, la opción más sana por el bienestar de los hijos es alejarlos del ambiente violento.

***e. "Los hombres que maltratan a sus parejas lo hacen porque tienen problemas con el alcohol o las drogas".***

**Realidad:** Es cierto que el consumo excesivo de alcohol o drogas es un factor de riesgo asociado con hombres abusadores, pero este hecho no los excusa de sus responsabilidades como agresores. Además, hay que considerar que no todos los hombres que tienen problemas con el alcohol o drogas maltratan a sus parejas. También hay que tener en cuenta que el abuso o la violencia en una relación de pareja no finaliza necesariamente cuando el agresor deja de consumir o abusar del alcohol o drogas.

***f. "Los hombres abusadores son personas que están trastornados mentalmente".***

**Realidad:** Hay muchas razones por que las personas abusadoras o agresivas deben recibir tratamiento psicológico. Muchos de ellos tienen problemas con el abuso de alcohol o drogas, los celos patológicos, trastornos mentales (personalidad antisocial, personalidad límite, bipolaridad, narcisismo, paranoia, etc.). También suelen tener problemas para controlar su enojo, dificultades emocionales, distorsiones de pensamientos, baja autoestima, carencias de técnicas de comunicación y de estrategias para lo solución de conflictos. Según algunos estudios, sólo un pequeño porcentaje de personas que maltratan a sus parejas presentan trastornos mentales serios.

***g. "Los hombres que agreden a sus parejas son violentos por naturaleza".***

**Realidad:** Es muy común que los hombres que maltratan a sus parejas no son violentos con otras personas. La mayoría de ellos en sus relaciones laborales, sociales y familiares son personas respetuosas, honestas e intachables. Por lo tanto, es una justificación que los hombres son agresivos de nacimiento. Ellos saben muy bien con quien descargar su enojo, especialmente cuando se sienten con "derecho" de actuar así, o cuando sienten que pierden el poder y control de sus parejas.

***h. "Los hombres son abusadores con sus parejas porque fueron maltratados en su infancia".***

**Realidad:** Diferentes investigaciones han demostrado relaciones entre los abusadores con el hecho de haber sido testigos de violencia en la familia de origen o haber sido maltratados en su niñez, y desde allí establecen patrones de comportamientos aprendidos que se transmiten de generación en generación y es parte de su cultura. Sin embargo, la relación de haber sido testigos de violencia intrafamiliar no es una correlación automática; pues no todos los hombres abusadores de sus parejas han sido testigos de violencia o han sido maltratados en su niñez, ni tampoco todos los hombres que han sido testigos de violencia o que hayan sido maltratados en su niñez, maltratan a sus parejas.

***i. "Las personas que pierden el control y agreden a sus parejas, lo hacen inconscientemente, y no saben lo que hacen".***

**Realidad:** La mayoría de las veces, las agresiones no son consecuencia de una explosión de enojo incontrolable, sino que son actos premeditados, y algunas veces bien pensados en los que buscan descargar la tensión y sentirse poderosos dominando a su pareja. Además, los comportamientos abusivos muchas veces no suelen ser hechos aislados, sino repetidos, frecuentes y rutinarios.

***j. "La violencia doméstica no es un problema serio, son sólo casos aislados. Los medios de comunicación y las redes sociales exageran".***

**Realidad:** La violencia doméstica es un problema serio, y los casos que aparecen en los medios o redes sociales, e incluso las denuncias que se realizan o se reportan por violencia doméstica, sólo representan una pequeña parte de la realidad. Según la Organización Mundial de la Salud, alrededor de una de cada tres mujeres (35%) en el mundo han sufrido violencia física o sexual de parte de su pareja.

***k. "Lo que ocurre dentro de una relación de pareja es un asunto privado; nadie tiene derecho a meterse".***

**Realidad:** La violencia doméstica no es un asunto privado, ya que es un crimen contra la libertad, derechos, y seguridad de las personas. Los delitos y crímenes jamás serán cuestiones privadas, y menos aun cuando las víctimas no están capacitadas para defenderse o cuando esto puede ser la diferencia entre la vida y la muerte.

***l. "La violencia doméstica sólo ocurre en familias sin educación".***

**Realidad:** El bajo nivel de educación formal puede ser uno de los múltiples factores de riego en la violencia doméstica, sin embargo, este es un fenómeno que se da en todas las razas, clases sociales y económicas, y en cualquier persona con o sin educación formal.

***m. "Cuando un hombre se arrepiente después de una agresión hacia su pareja, es porque nunca más lo va a volver hacer".***

**Realidad:** Es muy frecuente que el agresor después de una agresión se sienta aparentemente arrepentido y hasta jure que no volverá a hacerlo. Sin embargo, es más probable que lo vuelva hacer y se repita el mismo patrón de comportamiento una y otra vez.

***n. "Una mujer nunca será capaz de salir adelante con sus hijos, si no tiene el apoyo de la pareja, aunque éste sea abusivo".***

**Realidad:** En la práctica, muchas mujeres han demostrado que han podido salir adelante con sus hijos, y sin el apoyo de sus parejas abusivas.

***o. "Tiene que haber evidencias del maltrato físico, de lo contrario no habrá cargos legales por violencia doméstica".***

**Realidad:** Dependiendo de las leyes locales o estatales, los cargos legales por violencia doméstica pueden incluir una amplia variedad de posibilidades desde agresión física, agresión sexual, hostigamiento, amenaza contra la vida de la pareja, obstaculización, daño a la propiedad, perturbación de la paz, secuestro, abuso infantil, crueldad animal, entre otros.

***p. "Los hombres abusadores nunca cambian".***

**Realidad:** Muchos creen que es imposible que las personas, especialmente si ya son adultas, cambien su carácter o su manera de pensar. Pero según la ciencia, el cerebro es flexible al cambio sin importar la edad, y las personas pueden hacer cambios en sus vidas si así lo desean. Eso, por sí sólo no es suficiente; la base del cambio está en la restructuración de las creencias, actitudes y comportamientos, y esto requiere aceptación, compromiso, responsabilidad, motivación y perseverancia.

***q. "La mujer casada debe acceder a los caprichos sexuales del marido".***

**Realidad:** Muchas mujeres con frecuencia no reconocen el abuso sexual dentro del contexto del matrimonio, porque comparten la creencia machista que la mujer no tiene derecho a rechazar la intimidad con su pareja dentro de una relación. Cualquier forma de intimidad sexual no consentida, es abuso y eso constituye un delito. La mujer no es un objeto sexual para el disfrute y goce de su pareja.

***r. "Las mujeres de por sí son problemáticas, y si están en sus cambios hormonales son peores".***

**Realidad:** Hombres y mujeres pueden tener dificultades para resolver conflictos, y no tiene nada que ver que las mujeres estén en sus periodos menstruales o cambios hormonales para etiquetarlas de problemáticas.

***s. "Todos los hombres son igual de abusivos".***

**Realidad:** La gran mayoría de los delitos violentos tienen a hombres como protagonistas, pero esto no significa que todos los hombres son violentos.

***t. "El maltrato del hombre hacia la mujer, es una forma de hacerse respetar".***

**Realidad:** El respeto se gana, y si se trata de la pareja, con mucha más razón. Imponer el respeto o miedo a la pareja es sólo una forma irracional de justificar el abuso.

***u. "En cualquier relación de pareja: ¡El que paga, manda!"***

**Realidad:** El que uno de los dos trabaje fuera del hogar y aporte la totalidad del dinero para la manutención de la casa y de los hijos, no le da derecho a controlar o supervisar todos los gastos, ni menos mandar en las principales decisiones de la pareja.

***v. "Si celo a mi pareja es porque la quiero".***

**Realidad:** Los celos no forman parte del amor. Los celos son sentimientos de inseguridad, y es parte de la necesidad de poder y control hacia la pareja. Estos sentimientos de inseguridad suelen distanciar a la persona amada, y constituyen un parásito para las relaciones sanas.

***w. "Sin maltrato físico, no hay abuso".***

**Realidad:** Así como se puede acariciar a la pareja con palabras, se le puede lastimar también. El abuso verbal y psicológico tienen poder dañino que puede ser infinitamente superior al del abuso físico. Los insultos y el maltrato psicológico pueden llegar a sentirse tan fuertes como una golpiza. Si bien el abuso verbal o emocional no deja huellas físicas, con el tiempo pueden dejar cicatrices psicológicas permanentes y tener efectos devastadores en la persona que lo padece, agotando emocionalmente a la víctima, hasta un punto en que puede llegar a perder su autoestima, autonomía y hasta las ganas de vivir.

***x. “El amor es paciente, lo aguanta, lo cree y lo espera todo”.***

**Realidad:** El amor no necesita ser perfecto, sino verdadero. Si bien es cierto que todas las relaciones de pareja requieren de algunos sacrificios, hay algunas cosas que no se deben soportar sólo por amor, como: La mentira, la infidelidad, el abuso, la falta de respeto, entre otras.

***y. “La violencia doméstica es exclusivamente del hombre hacia la mujer”.***

**Realidad:** Históricamente es la mujer quien ha sufrido de violencia y maltrato por parte de su pareja; sin embargo, en las últimas décadas han comenzado a aumentar los casos de maltrato inverso. Es decir que es la mujer quien juega el papel de agresora y la víctima es el hombre. Muchas veces no se suele dar credibilidad a los hombres maltratados, o en caso de creerse, se minimizan los abusos. También existen los casos de violencia doméstica por parejas del mismo sexo.

***z. “Todo lo que necesita un matrimonio es amor…y todo será perfecto”.***

**Realidad:** Se dice que el amor puede servir de medicina para curar casi todos los males, pero si éste es aplicado en altas dosis también puede convertirse en un potencial veneno mental, y si usted ama a su pareja más que a sí mismo, ¡cuidado!, porque puede caer en una relación tóxica y convertirse en una especie de esclavitud. En una relación de pareja con el tiempo la realidad se va imponiendo, y las diferencias irán saliendo.

La decisión de unirse en pareja o separarse, no debe ser tomada dando prioridad absoluta al componente afectivo únicamente, apelando a la presencia o ausencia del “amor”, como causa única para permanecer o no en una relación. La vida en pareja es mucho más que simplemente dar y recibir amor, esto implica aspectos mucho más compartidos como los hijos, amigos, familiares, tiempo libre, vivienda, intimidad, compromiso, aficiones, sensibilidad, responsabilidad, valores, creencias, etc... Por lo tanto, dejar que sólo el componente emocional prevalezca sobre los demás, podría ser un riesgo para la convivencia de la pareja.

# ::: Hoja de Actividad #8 :::

## Creencias y Actitudes Negativas Acerca de la Violencia Doméstica

1. ¿Cuál o cuáles de estas creencias las creía como verdaderas?

_______________________________________________

_______________________________________________

_______________________________________________

_______________________________________________

_______________________________________________

2. ¿Qué falsas creencias sobre las relaciones de pareja le inculcaron o ha escuchado?

_______________________________________________

_______________________________________________

_______________________________________________

_______________________________________________

_______________________________________________

3. ¿Cuál sería su plan para distanciarse de las tradicionales tendencias violentas y creencias culturales irracionales, que jugaron un rol como ofensor en su caso legal de violencia doméstica?

_______________________________________________

_______________________________________________

_______________________________________________

_______________________________________________

_______________________________________________

Nombre: ______________________________ Fecha: ____________

Esta página fue dejada en blanco intencionalmente.

# ::: Sesión 7 :::

## Relaciones Basadas en el Poder y el Control

### 1. Objetivos

a. Identificar las formas específicas de poder y control utilizadas en las relaciones de pareja.
b. Como ofensor de violencia doméstica, eliminar cualquier comportamiento abusivo que pretenda justificar una relación de pareja basada en el poder y control.

La dinámica de las relaciones de pareja ha cambiado en las últimas décadas. Anteriormente la autonomía de la mujer era inferior a la del hombre, y el reparto de tareas y responsabilidades domésticas estaban muy diferenciados. Todo esto ponía en desventaja a la mujer y establecía una serie de privilegios de masculinidad a los hombres, asentando las relaciones de pareja en una situación dispareja, basada en el poder y control del hombre hacia la mujer.

### 2. ¿Qué entendemos por relaciones basadas en el poder y control?

a. El poder y control en las relaciones de pareja consisten en cualquier tipo de control coercitivo, agresión o abuso que se utiliza con la intención de agredir, amenazar, forzar, intimidar, humillar o someter a la pareja. En las relaciones heterosexuales el poder y control es básicamente infringido del hombre hacía la mujer, no obstante, se da también de la mujer hacia el hombre y en las relaciones de pareja del mismo sexo.

b. El poder y control en las relaciones de pareja tiene diferentes características y se basan en comportamientos agresivos o abusivos en el plano físico, sexual, emocional, económico, social, infantil, etc.

c. Como parte del poder y control, la pareja trata de controlar el tiempo, el dinero, las decisiones o las actividades de su pareja. Asimismo, el acusar de serle infiel, usar los insultos, hacerle creer que está "loco" o "loca", amenazar, o buscar crear condiciones para demandar que se hagan las cosas a su manera; son otras de las formas o intentos de controlar a la pareja.

**3. ¿Qué tan conscientes son las parejas acerca del poder y control?**

a. Muchas personas que están en relaciones de pareja, ni siquiera son conscientes de los comportamientos basados en el poder y control que ejercen en contra de sus parejas, o de la manera que están siendo sometidas a comportamientos basado en el poder y control.

b. Estas personas tampoco se dan cuenta del impacto negativo de sus actitudes agresivas o abusivas hacia las personas que dicen amar, y lo peor de todo, no tienen idea que, al tratar de controlar a su pareja, están haciendo sus propias vidas mucho más difíciles de lo que deberían ser.

c. Una relación de pareja en la que uno se cree superior al otro, o que cree tener siempre la razón, o simplemente no tiene en cuenta las necesidades de su pareja; es una relación dispareja, y esto hará con el tiempo que la convivencia entre ambos sea sofocante, disfuncional y hasta tóxica. Aquí las principales formas de agresión y abuso basados en el poder y control en las relaciones de pareja:

**4. Poder y control basado en la agresión física y/o sexual**

El comportamiento agresivo, ya sea físico o sexual, puede causar serio daño físico o emocional a la pareja, y este tipo de comportamiento no sólo viola los limites sociales, sino hasta legales, y puede conducir a rupturas en las relaciones de pareja.

Cualquier tipo de comportamiento agresivo físico o sexual no sólo es socialmente inaceptable, sino que puede tener implicaciones legales. En muchos casos los abusadores actúan agresivamente a propósito, sin importarles las consecuencias legales, y lo hacen con el fin de controlar o intimidar a su pareja.

La agresión física o sexual en las relaciones de pareja puede causar daño físico, incluso hasta la muerte. La agresión física incluye patear, morder, usar armas, romper objetos personales, etc. En el caso de la agresión sexual, que es otra de las formas comunes de poder y control que utilizan los abusadores, es cuando obligan o manipulan a su pareja para tener relaciones sexuales, y en algunos casos las tratan como un objeto sexual.

**5. Poder y control basado en el abuso emocional**

El poder y control basado en lo emocional se caracteriza usualmente cuando ridiculiza a la pareja haciéndole sentir mal o haciéndole creer que tiene un problema mental serio. De esta manera maltrata psicológicamente a su pareja hasta hacerle dudar de lo que dice, cree, ha visto, o ha escuchado.

El abusador o abusadora usa también la intimidación para atemorizar por medio de gestos, miradas, voz fuerte, lanzando o destruyendo objetos. La intimidación es parte de las actitudes que acompañan frases hirientes que producen temor a la pareja y le bajan la autoestima.

### 6. Poder y control basado en el abuso social

El aislamiento social es una forma de controlar lo que la pareja hace, con quién habla, a dónde va, con quién se relaciona, y hasta le prohíbe utilizar los espacios de las redes sociales. El abusador o abusadora utiliza también los celos para justificar sus reacciones agresivas, y presiona para que elija entre él o ella y sus amistades o familiares. También se ejerce presión en la pareja para que pase todo su tiempo libre con él o ella y no tenga una vida social propia.

### 7. Poder y control basado en la culpa, negación o minimización

La negación, culpa o minimización de lo ocurrido durante una agresión o abuso es otra táctica que el abusador o la abusadora usa cuando busca restar importancia a cualquier comportamiento agresivo o abusivo, y no toma en cuenta los sentimientos de su pareja. Es común que niegue que el abuso haya ocurrido, y al contrario, culpa a su pareja de causar el comportamiento abusivo. Muchas veces quien agrede se victimiza y justifica sus agresiones o abusos por las conductas de su pareja, sin asumir la responsabilidad de sus comportamientos, diciendo que su pareja le provocó y le hizo perder el control.

### 8. Poder y control basado en la utilización de los hijos

La utilización de los hijos es otra forma de poder y control en las relaciones de pareja. El abusador o abusadora quiere hacer sentir culpable a su pareja de lo que le pueda pasar a los hijos; y si están separados utiliza a los hijos para enviar mensajes negativos, o utiliza las visitas para hostigar a la pareja.

### 9. Poder y control basado en los privilegios de masculinidad

En el caso de los hombres, es muy común la utilización de los privilegios masculinos. Este estilo de poder y control se caracteriza por tratar a la mujer como sirvienta, y él se siente con derecho a tomar las decisiones "más importantes" sin tener en cuenta a su pareja, y actúa como "el jefe de la casa", haciéndole creer a ella que él es el que manda, decide y resuelve sobre cualquier tema familiar.

### 10. Poder y control basado en el abuso económico

El poder y control también se ejerce económicamente cuando el hombre trata de evitar que su pareja trabaje fuera de casa o presiona para que renuncie al trabajo que tiene, con la finalidad de hacerle dependiente económicamente, y hace que su pareja tenga que pedirle dinero o maneja el dinero que a ella le pertenece.

Dejar de usar el poder y control sobre la pareja, no significa someterse, ni convertirse en manipulados o subordinados. Se trata de establecer relaciones basadas en la equidad, con un enfoque que conduzca a relaciones sanas, justas y humanas. Las parejas no están para ser controladas, y cuanto menos trabajo se realice para controlar a la pareja, más fácil será la vida y más paz sentirá en su interior.

> ***Dañar a la pareja en su sentido de bienestar e independencia, es dañarla profundamente en lo emocional.***

## Círculo de Poder y Control

# ::: Hoja de Actividad #9 :::

## Relaciones Basadas en el Poder y el Control

1. ¿Ha sido usted criado en un ambiente familiar donde se ha usado el poder y control?
SÍ ___ NO___ Explique:

_______________________________________________

_______________________________________________

_______________________________________________

_______________________________________________

_______________________________________________

2. Identifique qué posibles comportamientos o actitudes basados en el poder y control ha usado en su historial de relaciones de pareja.

_______________________________________________

_______________________________________________

_______________________________________________

_______________________________________________

_______________________________________________

3. De hoy en adelante, ¿Qué está dispuesto(a) a hacer para evitar cualquier comportamiento basado en el poder y control en su actual relación de pareja o futura relación de pareja?

_______________________________________________

_______________________________________________

_______________________________________________

_______________________________________________

_______________________________________________

Nombre: ______________________________ Fecha: ____________

Esta página fue dejada en blanco intencionalmente.

# ::: Sesión 8 :::

## Relaciones Basadas en la Equidad e Igualdad

**1. Objetivos**

a. Reconocer la importancia de las relaciones de pareja basadas en la igualdad.
b. Fomentar y promover las relaciones de pareja basadas en la igualdad, la confianza y el respeto mutuo.
c. Reconocer las diferencias entre las relaciones de pareja sanas y no sanas.

**2. ¿Qué es una relación basada en la equidad e igualdad?**

Una relación de pareja saludable está basada en la igualdad de derechos, y con el convencimiento absoluto que nadie es más que nadie, y que mutuamente merecen el mismo respeto y cariño. Las relaciones sanas requieren de mucha dedicación, esfuerzo y un trabajo en equipo en el que los dos son igual de importantes. En este tipo de relación ambos miembros de la pareja se sienten mutuamente apoyados y conectados por lazos profundos, pero al mismo tiempo se sienten independientes.

**3. Características básicas de las relaciones sanas y equitativas:**

a. Están basadas en el respeto mutuo
b. Evitan enfocarse o magnificar los errores de su pareja
c. Aprecian y reconocen lo positivo de su pareja
d. Evitan las críticas destructivas hacia su pareja
e. Son proactivos en la solución de sus problemas
f. Muestran mutuamente aprecio y gratitud

g. Dicen frecuentemente "gracias" y "por favor"
h. Disfrutan y gozan de intereses mutuos
i. Reconocen sus propios errores y dicen frecuentemente "lo siento"
j. Resuelven oportunamente cualquier conflicto de la relación
k. Tienen libertad para expresar sus creencias u opiniones
l. Hablan abiertamente sobre lo que piensan, sienten y necesitan
m. Se apoyan mutuamente en las buenas o malas situaciones
n. Comparten responsabilidades mutuas
o. Establecen acuerdos para una justa distribución de las tareas domésticas
p. Toman juntos decisiones importantes que conciernen a la pareja
q. Mantienen respeto mutuo en la intimidad y las relaciones sexuales
r. Se escuchan activamente
s. Utilizan la empatía, especialmente en situaciones difíciles de su pareja
t. Apoyan a su pareja en las actividades que él o ella disfruta
u. Celebran los logros y triunfos que ambos han alcanzado
v. Se aceptan, valoran y aprecian mutuamente tal como son
w. Reconocen sus errores y saben perdonar
x. Tienen buen sentido del humor
y. Viven la pasión de la relación un día a la vez
z. Establecen sus propios límites, confían mutuamente y son leales
aa. Disfrutan de sus propios espacios, y pueden salir independientemente con sus amistades
ab. No tienen necesariamente que compartir contraseñas del celular, correo electrónico, cuentas en las redes sociales, etc.
ac. Admiten que algunas veces uno de los dos debe ceder por el bien de la salud y bienestar de la relación

***Si bien no existe la relación perfecta o cinco estrellas, mantener una relación sana, estable y equitativa, requiere acción de ambas partes.***

# Círculo de la Igualdad y Equidad

**Características y Diferencias entre Relaciones Saludables y No Saludables**

| Característica | Parejas Saludables | Parejas No Saludables |
|---|---|---|
| **Confianza o Desconfianza** | √ Tienen una relación de confianza mutua<br>√ Cada uno confía en sí mismo para cuidar su propio bienestar y el de su pareja<br>√ Confían en sus propios criterios, y manejan adecuadamente sus emociones | √ Carecen de confianza mutuamente<br>√ Muestran conductas de celos excesivos y posesivos sobre su pareja<br>√ Tienen dificultades para manejar el miedo que experimentan frente a la pérdida de control |
| **Honestidad o Deshonestidad** | √ Son honestos con ellos mismos acerca de cómo se sienten y qué piensan<br>√ Pueden reaccionar espontáneamente ante situaciones incómodas sin temor a represalias de parte de su pareja | √ La relación está basada en el engaño, mentira o manipulación<br>√ Manipulan los hechos para culpar a la pareja si la relación no funciona, o para generar sentimientos de culpa |
| **Flexibilidad o Inflexibilidad** | √ Son libres de ser ellos mismos<br>√ Se apoyan cuando tratan de hacer aquellas cosas que les gustan<br>√ Son considerados y tratan de entender el punto de vista de su pareja | √ Son cerrados, egoístas<br>√ No están dispuestos a compartir sus propios sentimientos, pensamientos o deseos<br>√ Culpan a su pareja de hacerles sentirse inferiores, inseguros, etc. |
| **Comunicación** | √ La comunicación es abierta sobre preocupaciones y deseos<br>√ El diálogo es para dar y recibir opiniones<br>√ Comunican abiertamente sus pensamientos, sentimientos y deseos<br>√ Saben escuchar y se sienten escuchados al expresar sus sentimientos | √ Los mensajes son confusos<br>√ Son poco claros en su comunicación<br>√ No están dispuestos a responder preguntas u ofrecer opiniones<br>√ Hablan demasiado con el fin de no comunicar lo importante<br>√ No escuchan, ni dejan hablar |

| **Comprensión** | √ Hacen esfuerzos mutuos por comprender los sentimientos, creencias, deseos y necesidades de su pareja | √ No hacen ningún esfuerzo para tomar conciencia de las necesidades, sentimientos o deseos de su pareja |
|---|---|---|
| **Compromiso** | √ Están dispuestos a comprometerse en temas conflictivos<br>√ Ninguno manipula el compromiso para seguir juntos | √ El compromiso sólo se produce cuando se busca satisfacer las demandas, o cuando se quiere compensar después de que ha ocurrido un comportamiento abusivo |
| **Límites** | √ Establecen límites claros como personas y pareja<br>√ Cada uno es consciente de los límites del otro y los respeta | √ Restringen las libertades de la pareja<br>√ Los límites no están claros<br>√ La pareja ignora o viola los límites del otro<br>√ Se sienten atrapados en la relación |
| **Respeto** | √ Ambos miembros de la pareja se ven como iguales | √ El respeto es exigido por uno de los miembros de la pareja, sin ser devuelto |
| **Toma de decisiones** | √ Buscan tomar decisiones juntos, pero al mismo tiempo, cada uno es libre de elegir qué decisiones tomar sin presión o imposición del otro | √ Se sienten o son presionados física o emocionalmente para tomar decisiones |
| **Independencia o Dependencia** | √ Cada uno se enfoca en desarrollarse como individuos y apoyarse mutuamente durante la relación<br>√ Independientemente pueden salir con sus amistades<br>√ No tienen que compartir las contraseñas de su correo electrónico, cuentas de las redes sociales o teléfono | √ La relación está basada en la codependencia emocional<br>√ Buscan desesperadamente el amor y aprobación de su pareja<br>√ No se sienten felices, contentos, ni en paz consigo mismos(as)<br>√ Viven obsesionados que su pareja los tiene que amar siempre, y que sin su amor no son nadie<br>√ Centran sus vidas alrededor de la pareja |

| | | |
|---|---|---|
| **Equidad o Poder y control** | √ La relación está basada en la equidad e igualdad<br>√ El poder en la relación está equilibrado<br>√ Cada miembro contribuye a la felicidad de la pareja, en lugar de responsabilizarse de la felicidad de la pareja<br>√ Los gastos e inversiones económicas son por mutuo acuerdo<br>√ Dan la razón cuando su pareja la tiene<br>√ Muestran interés por la opinión de su pareja, aunque no esté de acuerdo | √ Uno o ambos tiene la posición de poder y control sobre el otro<br>√ Suelen imponer consecuencias negativas si la pareja no cumple con los roles establecidos o las expectativas de su pareja<br>√ Creen que ellos saben cómo deben ser las cosas y cómo debe comportarse su pareja<br>√ Tratan de controlar a su pareja por medio del desamparo, los sentimientos de culpa, la coerción, la amenaza, o manipulación |
| **Resolución de conflictos** | √ Buscan soluciones a los conflictos que sean satisfactorias para ambos<br>√ Suelen ser tolerantes, aceptan los errores, proponen soluciones posibles<br>√ Discrepan abiertamente teniendo en cuenta la opinión de su pareja<br>√ Son conscientes que cuando hay problemas, las cosas no mejorarán mágicamente | √ Ignoran o minimizan los problemas de la relación<br>√ Tratan por todos los medios de pelear o manipular<br>√ Se comportan agresivamente para evitar dar la apariencia de ser débiles<br>√ Buscan de cualquier manera ganar en toda discusión<br>√ Culpan y critican por todo<br>√ Se rehúsan a participar en terapias de pareja |
| **Asertividad o Agresividad** | √ Se sienten seguros(as) de sí mismos(as)<br>√ Expresan lo que quieren y desean de un modo directo, honesto y forma adecuada<br>√ Claramente indican lo que desean o esperan de su pareja<br>√ Muestran respeto mutuo<br>√ Piden aclaraciones cuando algo no está claro<br>√ Expresan sus opiniones, sentimientos, deseos y necesidades, usando mensajes en "primera persona" para no poner a su pareja a la defensiva | √ Acusan a la pareja de sus propias reacciones agresivas<br>√ Piensan que su pareja merece ser castigada para justificar sus reacciones agresivas<br>√ No saben escuchar, sobre todo si no están de acuerdo<br>√ No les importa agredir, y no tienen en cuenta los sentimientos de su pareja<br>√ Muestran frecuentemente: tensión, descontrol, y frustración<br>√ Usan mensajes en "segunda persona" con la finalidad de culpar, acusar, retar o señalar |

# ::: Hoja de Actividad #10 :::

## Relaciones Basadas en la Equidad

1. ¿Considera usted que su actual relación de pareja o previas relaciones de pareja es o ha(n) sido saludables, no saludables o ambas? Explique:

2. ¿Qué cree que debería aplicar en su actual o futura relación de pareja para mantener una relación saludable?

3. ¿Cree que las relaciones de pareja deben estar basadas en la equidad e igualdad? ¿Por qué si, o por qué no? Explique:

Nombre: ______________________ Fecha: __________

Esta página fue dejada en blanco intencionalmente.

# ::: Sesión 9 :::

## El "Tiempo Fuera"

### 1. Objetivos

a. Ser capaz de usar y practicar la técnica del "tiempo fuera" en situaciones de tensión con su pareja cada vez que sea necesario.
b. Evitar situaciones agresivas o violentas con la pareja, alejándose temporalmente de un ambiente tenso.

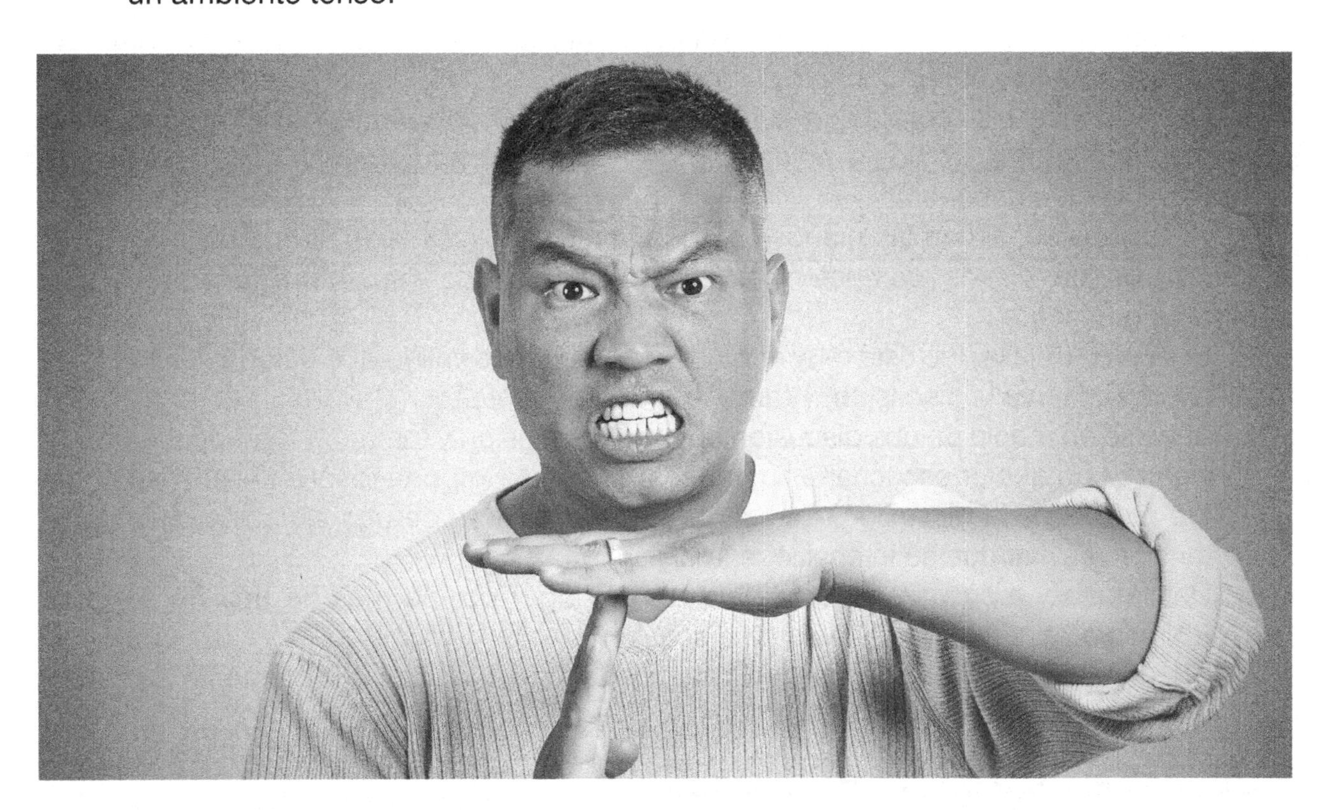

### 2. ¿Qué es el "tiempo fuera"?

El "tiempo fuera", o "time out", como se conoce en inglés, es una técnica simple, práctica y efectiva en las relaciones de pareja, y sirve para evitar que cualquier discusión termine en una pelea o explosión verbal o física.

Esta técnica consiste en que uno de los miembros de la pareja buscará retirarse temporal y voluntariamente de una situación de enojo que está escalando; permitiendo así darse un espacio y tiempo para calmarse, en vez de continuar actuando de forma agresiva o perder el control.

### 3. Consideraciones para tener en cuenta y usar el "tiempo fuera"

a. Antes de llamar a un "tiempo fuera" con su pareja, en lo posible, asegúrese que ambos han acordado y aceptado de antemano aplicar el "tiempo fuera" cada vez que sea necesario.
b. Cualquiera de los dos puede llamar a un "tiempo fuera" y dejar físicamente la discusión, aunque uno de los dos no esté de acuerdo.

c. Cuando se llama a un “tiempo fuera”, queda entendido que se retomará la discusión cuando usted y su pareja se sientan más tranquilos.
d. Está bien tomar más de un “tiempo fuera” si es necesario para mantener un nivel razonable de discusión y resolver el problema.

**4. Pasos para aplicar la técnica del “tiempo fuera”**

a. Reconocer inmediatamente las señales del enojo antes de que se convierta en un comportamiento agresivo; como, por ejemplo: aumento de la tensión corporal, sudar, apretar los puños, presión sanguínea alta, apretar los dientes, enrojecimiento de la cara, etc.
b. Prestar atención a su discurso interno. Lo que se dice usted mismo(a) antes de hablar, y piense en las consecuencias.
c. Dar a conocer a su pareja que se siente enojado(a). Por ejemplo, decir: “Yo me siento muy enojado(a), no voy a pelear y prefiero parar temporalmente esta discusión y tomar un “tiempo fuera”.
d. Hacer una señal con las manos creando la letra “T” (parecida al que usan algunos árbitros en ciertas competencias deportivas cuando necesitan parar el juego temporalmente).
e. Si es su pareja la que está muy enojada o agresiva, es válido que usted sugiera parar temporalmente la discusión, y tomar un “tiempo fuera”.
f. Alejarse en medio de una discusión con mucha tensión y tomar un “tiempo fuera”, no significa no querer escuchar a su pareja o que no le importa resolver el conflicto que fue motivo de la discusión. Es simplemente apartarse de una situación de mucha tensión y evitar que se intensifique la discusión.
g. Déjele saber a su pareja que se alejará del lugar por no más de una hora y que regresará para retomar el tema de discusión.
h. Si están en casa, y decide salir a la calle, deberá dejar en casa visiblemente las llaves del carro, celular, y cartera.

**5. ¿Qué hacer durante el “tiempo fuera”?**

a. No conduzca, ni consuma alcohol o drogas.
b. Haga algo saludable para distraerse (camine en un lugar placentero, vaya al gimnasio, monte bicicleta, pasee el perro, etc.).
c. Si está en casa, manténgase alejado(a) de su pareja, y si es posible hable con alguien que no estuvo involucrado en la discusión. Esto puede ayudarle a calmarse.
d. Utilice técnicas de respiración profunda: Ponga su mano en su estómago y respire despacio y lentamente. Imagínese respirando desde su estómago en vez de respirar con los pulmones. Sienta el vientre expandiéndose como un globo con cada inhalación.
e. Tome también un “tiempo fuera mental”, lo que significa evitar intencionalmente cualquier pensamiento negativo que pudiera alimentar su coraje.
f. Tome una ducha con agua caliente o fría y disfrute la sensación del agua cayendo sobre su piel.
g. Considere la posibilidad de hacer alguna otra actividad que le distraiga, como: jardinería, lavar el carro, escribir, pintar, dibujar, cocinar, etc.

h. Desde su tranquilidad, aproveche la oportunidad para reevaluar sus pensamientos, valores y creencias relacionados con la discusión, y trate de reinterpretar positivamente el incidente.
i. Cuando el "tiempo fuera" ha terminado, haga contacto visual con su pareja para preguntar si es el momento adecuado para retomar la discusión.
j. Si se retoma la discusión, mantenga el autocontrol para evitar que nuevamente se intensifique la discusión.
k. No dude en dar un "tiempo fuera" adicional si su coraje o el de su pareja nuevamente aumenta hasta el punto de que vuelva a interferir con la discusión.
l. Nunca presione o fuerce a reanudar una discusión si su pareja prefiere no hacerlo.

Finalmente recuerde que la prioridad del "tiempo fuera" es prevenir la violencia y cualquier comportamiento agresivo. Asimismo, tenga en cuenta que será más difícil para alguien que quiera pelear, si usted no quiere pelear.

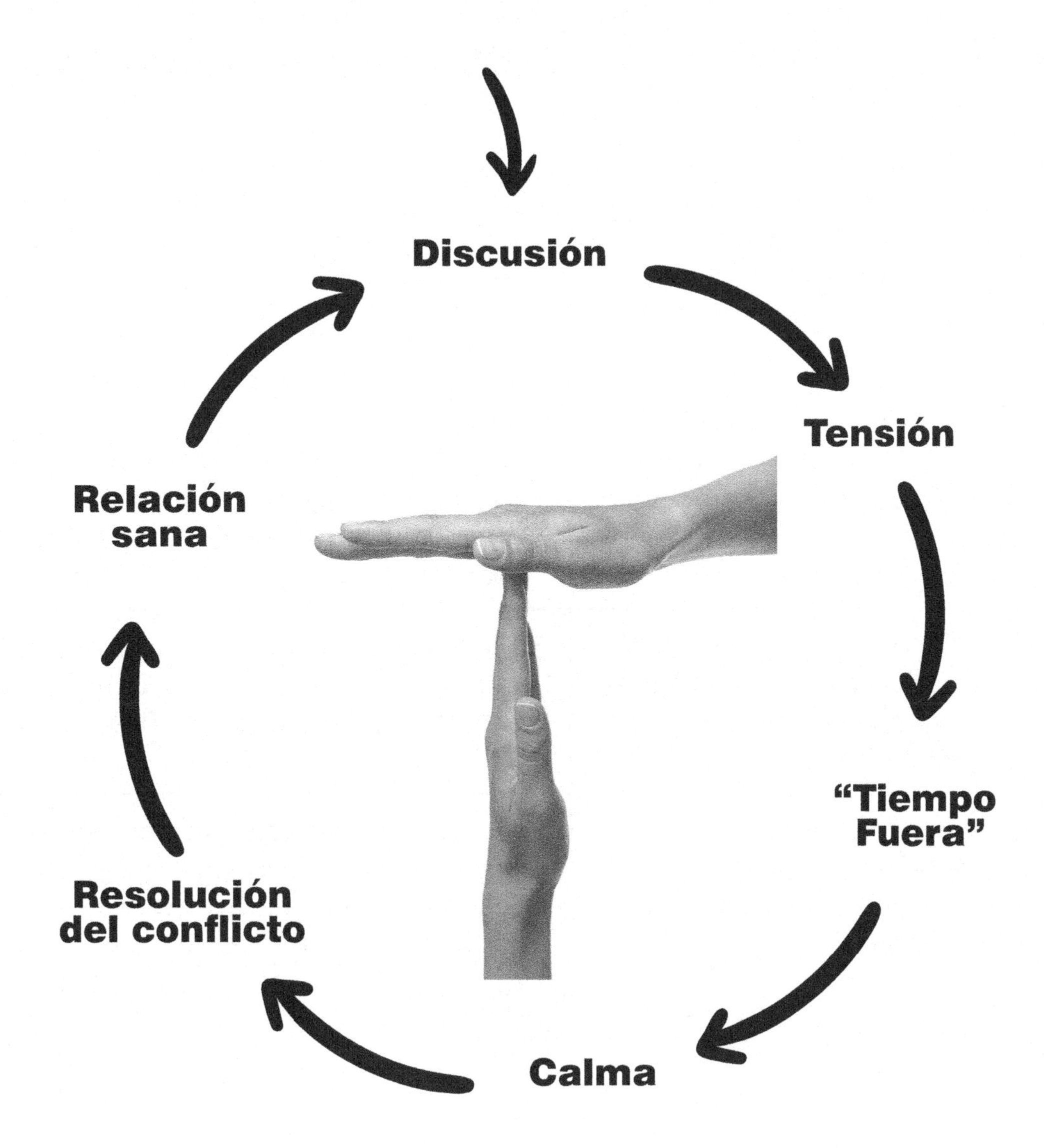

| Diferencia entre | |
|---|---|
| **"Tiempo Fuera"** | **"Alejarse del Conflicto"** |
| 1. La pareja establece un acuerdo previo de usar el "Tiempo Fuera" cada vez que sea necesario, y cuando un conflicto se está intensificando para evitar llegar a explotar. | 1. No hay acuerdo previo de "parar" una discusión intensa, y prefieren seguir discutiendo, o deciden simplemente alejarse del conflicto, sin volver a hablar del tema motivo de discusión. |
| 2. Cada miembro de la pareja reconoce y toma responsabilidad por las emociones surgidas a raíz de la discusión. | 2. Se ignora o culpa a la pareja por las emociones surgidas a raíz del conflicto. |
| 3. Se deja saber a la pareja acerca de sus emociones surgidas a raíz del conflicto. | 3. Hay confusión acerca de las emociones surgidas a raíz del conflicto. |
| 4. Ambos miembros de la pareja tienen claro que el tema de discusión es importante, y que necesita ser resuelto cuando ambos estén tranquilos. | 4. La pareja se siente ignorado(a), mientras que el otro decide alejarse del conflicto sin decir nada. |
| 5. Durante el "tiempo fuera" la pareja aprovecha para enfocarse en las emociones y pensamientos, motivo de la discusión, y buscan opciones para resolver el conflicto. | 5. Ambos o uno de los miembros de la pareja prefiere ignorar el tema de discusión, o simplemente evitan resolver el conflicto, generando frustración en la pareja. |
| 6. Los miembros de la pareja retoman la discusión, muestran disposición de escucharse y hablan con calma para resolver el conflicto. | 6. Buscan sentirse víctima de la situación y no están dispuestos a escuchar o volver hablar del tema que causó la discusión. |
| 7. Se sienten comprometidos y motivados a llegar a acuerdos, y seguir trabajando para continuar en una relación sana. | 7. Continúan con acumulación de sentimientos de enojo, frustración, decepción y culpa. Típico de una relación disfuncional o tóxica. |

# ::: Hoja de Actividad #11 :::

## El "Tiempo Fuera"

1. En el pasado, cuando ha estado en medio de una discusión muy tensa con su pareja o expareja(s), ¿Cómo ha manejado la situación?, ¿Qué ha funcionado y qué no ha funcionado?

______________________________

______________________________

______________________________

______________________________

______________________________

2. ¿Cuáles han sido las consecuencias de no haber sabido manejar una situación muy acalorada con su pareja o expareja(s) o no haber tomado un "tiempo fuera" oportunamente?

______________________________

______________________________

______________________________

______________________________

______________________________

3. De hoy en adelante, ¿Cuál sería su plan para aplicar la técnica del "tiempo fuera", y evitar llegar a un nivel de explosión o agresión con su pareja, si se encontrase en medio de un escenario de tensión que se va intensificando?

______________________________

______________________________

______________________________

______________________________

______________________________

Nombre: ______________________________ Fecha: ______________

Esta página fue dejada en blanco intencionalmente.

# ::: Sesión 10 :::

## Mensajes en Primera Persona

### 1. Objetivos

a. Mejorar las habilidades de comunicación interpersonal.
b. Entender y demostrar el uso apropiado de "declaraciones en primera persona".
c. Saber identificar y reconocer las diferencias entre los mensajes acusatorios de segunda persona y los mensajes asertivos de primera persona.

¿Por qué a algunas personas les es difícil expresar una opinión, punto de vista, y prefieren callar?, o ¿Por qué es complicado para algunos expresar lo que piensan, sin temer a que quien lo escucha se pueda ofender? No se necesita callar para evitar un malentendido, o tener que darle tantas vueltas a lo que se quiere decir para que simplemente la otra persona, quien escucha el mensaje, no se ponga a la defensiva.

La clave está en usar mensajes asertivos en primera persona ("Yo"), en lugar de hablar agresivamente en segunda persona ("Tú"), y mantenerse siempre centrado en el tema de discusión que se desea tratar; sin acusar ni culpar a la otra persona. De esta manera aumenta la posibilidad que el mensaje llegue al receptor, y se evita la escalada de un posible conflicto.

### 2. ¿Qué son los mensajes en primera persona?

Los mensajes en primera persona ("Yo"), es una valiosa herramienta de comunicación que permite expresar un sentimiento, punto de vista, deseo u opinión de una forma cortés, asertiva y sin dar la posibilidad, de que quien nos escuche, se ponga a la defensiva o se lo tome de manera personal.

Con los mensajes en primera persona, dejamos claro que no estamos culpando a la otra persona de lo que pensamos o sentimos; sino, que nos estamos haciendo responsables de nuestros propios sentimientos, pensamientos, opiniones o necesidades.

### 3. ¿Para qué sirven los mensajes asertivos en primera persona?

Estos mensajes sirven para:

a. Mejorar la calidad de la comunicación interpersonal.
b. Actuar de forma asertiva y no agresiva.
c. Expresar opiniones, puntos de vista, preferencias, necesidades, sentimientos o emociones, sin que la otra persona, quien recibe el mensaje, se ponga a la defensiva o lo tome de manera personal.
d. Hacernos responsables de lo que sentimos, pensamos, decimos o hacemos.
e. Mantenernos centrados en el problema que nos gustaría tratar, sin culpar o acusar a la otra persona.
f. Aumentar la posibilidad que la otra persona nos escuche, y así evitar que una discusión o conflicto escale en su dimensión.

### 4. ¿Por qué evitar usar los mensajes agresivos en segunda persona?

Porque:

a. Los mensajes en segunda persona ("Tú"), escalan los conflictos.
b. Si se utiliza el "tú" en medio de una discusión, la otra persona puede sentirse atacada, retada, desafiada, acusada, juzgada o puede tomarse de manera personal lo que usted le está diciendo. Por ejemplo decirle: "Tú nunca escuchas", "Tú no me entiendes", "Tú me haces enojar cada vez que...", "Tú no eres de ninguna ayuda para mí", etc.
c. Evitaríamos descargarnos emocionalmente con terceras personas, o sentirnos frustrados porque podríamos asumir que la otra persona no nos escucha a propósito o que ignora nuestros sentimientos.
d. Evitaríamos entrar en conflicto, o que aumente la intensidad de conflicto, sin llegar a ningún acuerdo.
e. Daría lugar a que quien nos escucha, genere respuestas defensivas, con enfado y con resistencia al cambio, si esperamos o le pedimos algo.

### 5. ¿Qué otras ventajas tenemos al usar mensajes en primera persona?

Cuando damos información a la otra persona de cómo nos afecta algo que él o ella ha hecho o ha dicho, tenemos muchas más posibilidades que nos escuche, que no se ponga a la defensiva, o que adopte una actitud diferente. Esto ocurre porque se está enterando de nuestros sentimientos o nuestra opinión, aunque esa persona no esté necesariamente de acuerdo con nuestro punto de vista, opinión o sentimiento. Además, es importante porque:

a. De esta manera tenemos la posibilidad que los conflictos disminuyan en su forma agresiva.
b. Reducimos la posibilidad de malentendidos.
c. Disminuimos la temperatura emocional de un posible conflicto.
d. Nos permite describir y explicar la situación por la que nos sentimos afectados.
e. Nos da la oportunidad de expresar los sentimientos que nos produce una determinada situación.

f. Podemos dar a conocer qué es lo que necesitamos, deseamos o lo que nos gustaría de la otra persona.
g. Explicaríamos concretamente los cambios que nos gustaría que se produzcan en el comportamiento de la otra persona.
h. NO proyectamos agresividad.
i. NO justificamos, ni culpamos de nuestras reacciones a terceras personas.

### 6. ¿Cómo poder expresarse utilizando mensajes en "primera persona"?

a. Primero que nada, es importante escuchar de forma abierta, atenta y activamente, aunque lo que escuche no le guste o no esté de acuerdo.
b. Deje saber sus sentimientos, puntos de vista o necesidades usando los mensajes asertivos en primera persona. Por ejemplo, decir: "Yo me siento…", "Yo pienso…", "Yo creo…", "A mí me gustaría…", "Yo desearía…", "Este es mi punto de vista", etc.
c. Trate en lo posible de describir claramente sus emociones, la situación que dio lugar a esas emociones, y luego el posible cambio que le gustaría que la otra persona adopte. Por ejemplo: "Yo me SIENTO muy nervioso(a) CUANDO te hablo a tu celular, no me contestas y no llegas a tiempo; y ME GUSTARÍA que por favor la próxima vez me dejaras saber cuándo vas a llegar tarde".
d. Si desea sugerir algún cambio de actitud, diríjase en términos de preferencias, deseos, en lugar de demandar o exigir; como, por ejemplo: "A mí me gustaría que...", "Yo desearía que…", "Te agradecería si...", "Yo preferiría…", etc. De esta manera evitará demandar o solicitar agresivamente algo como, por ejemplo: "De hoy en adelante tú no me vas a hablar así", "Las cosas tienen que ser como yo digo y punto", "Nunca más vuelvas a dirigirte a mí de esa manera", etc.
e. Finalmente se debe reconocer y agradecer cuando la persona hace algún esfuerzo por el cambio de su actitud. Por ejemplo: "Yo te agradezco que …", "Muchas gracias por tratar de …", "Realmente aprecio que …", etc.

Usar mensajes asertivos en primera persona ("Yo"), es trabajo, especialmente cuando se ha estado acostumbrado hablar sólo en segunda persona ("Tú"). Incorporar este estilo de comunicación en sus relaciones personales puede hacer una gran diferencia. Recuerde, su trabajo sólo consistirá en dejarle saber a la otra persona de cómo se siente, o lo que piensa acerca de una determinada situación, sin acusar o culpar, y el posible cambio que le gustaría ver en él o ella. Ponga a prueba esta técnica y compruebe por sí mismo(a) la diferencia en la forma de responder de los demás.

Esta página fue dejada en blanco intencionalmente.

# ::: Hoja de Actividad #12 :::

## Mensajes en Primera Persona

A continuación, se presentan una serie de frases en diversos escenarios, en los que usted supuestamente estaría hablando de forma "agresiva" o en "segunda persona". Intente cambiar estos mensajes usando expresiones "asertivas" o cambiándolas a "primera persona". Siga los ejemplos 1 y 2.

**Ejemplo 1** (Mensaje en segunda persona):

*"Tú me pones furioso(a) cuando me gritas".*

Posibles respuestas (Mensajes en primera persona):

a. *"Yo me siento furioso(a) cuando eres grosero(a) conmigo...y me gustaría que la próxima vez me hables en lugar de gritarme, aun cuando estés molesto(a)".*
b. *"Cuando levantas la voz, me es más difícil escucharte porque me siento molesto(a), y es cuando prefiero no seguir hablando contigo".*

**Ejemplo 2** (Mensaje en segunda persona):

*"Contigo nunca se puede hablar, porque tú siempre hablas puras estupideces".*

Posibles respuestas (Mensajes en primera persona):

a. *"Yo no entiendo por qué te expresas de esa manera... me gustaría que la próxima vez pienses bien lo que vas a decir".*
b. *"Discúlpame, pero personalmente no estoy de acuerdo con lo que acabas de decir...".*
c. *"Lo que yo acabo de escuchar que quieres decir es...".*

1. Mensaje en **segunda persona:** *"Tú me lastimas cada vez que me insultas".*
   Su mensaje en **primera persona:**

"______________________________________________________________________

______________________________________________________________________

______________________________________________________________________"

2. Mensaje en **segunda persona:** *"Tú nunca me tienes en cuenta para decisiones importantes que involucran a los dos".*
   Su mensaje en **primera persona:**

"______________________________________________________________________

______________________________________________________________________

______________________________________________________________________"

3. Mensaje en **segunda persona**: *"Tú no me vas a volver a gritar de esa manera".*
Su mensaje en **primera persona:**

"______________________________________________

______________________________________________

______________________________________________"

4. Mensaje en **segunda persona:** *"Tú me estás haciendo enojar y vas a hacer que explote por tu culpa".*
Su mensaje en **primera persona:**

"______________________________________________

______________________________________________

______________________________________________"

5. Mensaje en **segunda persona:** *"Tú me estas confundiendo con todo esto... así que sería mejor que pares con esto ahora mismo".*
Su mensaje en **primera persona:**

"______________________________________________

______________________________________________

______________________________________________"

6. Mensaje en **segunda persona:** *"Te estoy hablando y me estas ignorando intencionalmente".*
Su mensaje en **primera persona:**

"______________________________________________

______________________________________________

______________________________________________"

7. Mensaje en **segunda persona:** *"Tú siempre eres muy desconsiderado(a) conmigo, no te importa llegar tarde sabiendo que yo te espero para cenar".*
Su mensaje en **primera persona:**

"______________________________________________

______________________________________________

______________________________________________"

8. Mensaje en **segunda persona:** *"Todos los problemas que tenemos son porque tú siempre te tomas las cosas de manera personal".*
Su mensaje en **primera persona:**

"______________________________________________________________

______________________________________________________________

______________________________________________________________"

9. Mensaje en **segunda persona:** *"Por tu culpa hemos llegado hasta esta situación".*
Su mensaje en **primera persona:**

"______________________________________________________________

______________________________________________________________

______________________________________________________________"

10. Complete el mensaje:

*"Yo me siento* ***(exprese aquí un sentimiento negativo)*** ______________________

*cuando* ______________________________________________,

*y me gustaría o preferiría que* ______________________________

______________________________________________________________

______________________________________________________________".

Nombre: ______________________________________ Fecha: ____________

Esta página fue dejada en blanco intencionalmente.

# ::: Sesión 11 :::

## Escuchar Activa y Atentamente

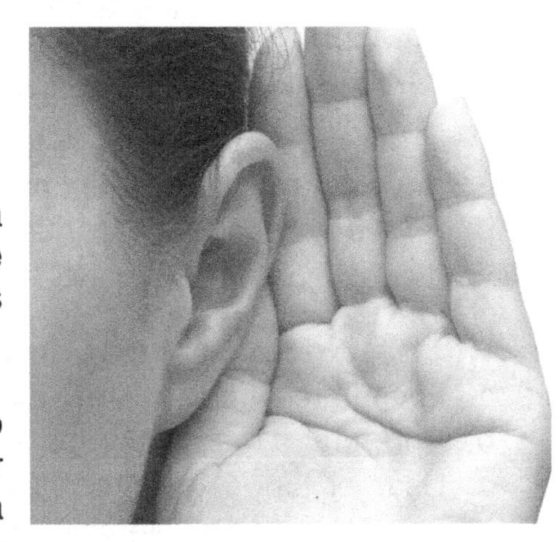

**1. Objetivos**

a. Mejorar la comunicación interpersonal.
b. Mejorar la habilidad de escuchar activamente.

Los seres humanos tenemos dos orejas y una boca para que podamos escuchar el doble de lo que hablamos, sin embargo, es común encontrar personas que hablan el doble de lo que escuchan.

Oír es un acto pasivo, escuchar es un acto activo que va más allá del simple hecho de oír. Se puede oír música, pero no necesariamente escuchar la letra de la canción. Podemos oír sin querer oír; sin embargo, es difícil poder escuchar a alguien cuando no se quiere escuchar, porque cuando se escucha activamente a alguien, se hace con una intención, un propósito, y esto requiere acción.

Uno de los elementos más importantes de una buena comunicación es ser buen oyente, y esto implica saber escuchar atenta y activamente. Esta habilidad contribuye significativamente a las relaciones interpersonales y al crecimiento personal. El escuchar activamente no sólo implica tratar de entender lo que alguien nos quiere expresar de manera directa, sino también requiere entender los sentimientos que hay detrás de esas ideas o pensamientos.

**2. Consideraciones para tener en cuenta para escuchar activamente**

a. El problema de las personas tercas y agresivas es que no saben escuchar y siempre quieren tener la razón.
b. Algunos creen ser buenos oyentes; pero ser un buen oyente es más que esperar su turno sin interrumpir. Dejar hablar a alguien, no significa querer escuchar activa y atentamente.
c. Escuchar activamente es trabajo, y esto implica mantener contacto visual, sin interrumpir y sin estar necesariamente de acuerdo con lo que se escucha.
d. Para muchos lo más difícil de escuchar es cuando se les critica, se les confronta con la verdad, se les grita, se les insulta, o cuando no se les da la razón.
e. Es común escuchar a alguien decir: "es que no me estás entendiendo", o "es que no me estás escuchando", cuando lo que le están respondiendo no le conviene, o porque no está de acuerdo con lo que está escuchando o simplemente porque no es lo que esperaba escuchar.

**3. Errores más comunes de no escuchar activamente**

a. Exigir ser escuchados o comprendidos y no estar dispuestos a escuchar.
b. Ponerse a la defensiva cuando alguien le habla o tomarse las cosas de manera personal.

c. Enfocarse más en lo que se va a responder que en lo que se está escuchando.
d. Pretender hablar al mismo tiempo cuando se debe estar escuchando.
e. Distraerse haciendo algo mientras le están hablando.
f. Juzgar y criticar por adelantado antes de haberlo escuchado todo.
g. Mover los ojos hacia arriba, o bostezar mientras se escucha.
h. Pretender adivinar o anticiparse a lo que la otra persona quisiera decir. Por ejemplo: "Ya sé lo que me vas a decir", "Ya sé a dónde quieres llegar", "Ya vas a empezar con lo mismo de siempre", "Vamos al grano de lo que me quieres decir", etc.
i. Adoptar una actitud burlona, sarcástica o agresiva mientras se escucha.
j. Pretender escuchar a alguien cuando no se quiere o cuando no se está en la mejor disposición de escuchar.

**4. Algunas ideas que pueden ayudar para ser mejor oyente**

a. Evitar interrumpir cuando alguien le está hablando.
b. Aprender a resistir el impulso de querer decir algo cuando no se está de acuerdo.
c. Usar el lenguaje corporal para demostrar interés y atención en lo que se está escuchando. Por ejemplo, afirmar con la cabeza, levantar las cejas, o hacer sonidos verbales que indiquen atención (¡Ah!, ¿Ah sí?, ¡Aja!, etc.).
d. No es necesario estar de acuerdo o en desacuerdo con lo que se escucha.
e. Mientras se escucha, preste atención al tono de voz, a los cambios repentinos de voz, y a las emociones que se expresan al hablarnos.
f. Estar consciente que una conversación significa estar presente en el momento y prestar atención a lo que está ocurriendo en este momento.
g. Si alguien le pide que le escuche, escúchele con mayor interés, pues es probable que esa persona tenga una necesidad de ser escuchada, comprendida y no ser ignorada.

**5. Otras ventajas de escuchar activamente**

a. Escuchar activamente es esencial, especialmente cuando se está en medio de una discusión o se quiere ventilar un asunto de mucho interés.
b. Escuchar crea un clima de confianza y cercanía para quien habla y quien escucha.
c. Escuchar intensifica y motiva a quien habla para seguir expresando su opinión o punto de vista.
d. Escuchar evita que se intensifique una tensión en medio de una discusión.
e. Escuchar facilita la resolución de conflictos.
f. Escuchar ayuda a tomar mejores decisiones y con mayor seguridad para ambos.
g. Escuchar da tiempo para pensar lo que se va a responder.
h. Escuchar evita responder a la defensiva o tener malentendidos.

***Recuerde uno de los principios del Derecho Humano:***
***"Tiene derecho a guardar silencio.***
***Todo lo que diga puede ser usado en su contra."***

# ::: Hoja de Actividad #13 :::

## Escuchar Activa y Atentamente

1. ¿Cree usted que es buen oyente o considera que debe trabajar en saber escuchar activamente? Explique:

_______________________________________________

_______________________________________________

_______________________________________________

_______________________________________________

_______________________________________________

2. De hoy en adelante, ¿Cómo podría poner en práctica estas habilidades para convertirse en un(a) oyente activo(a), si no lo ha sido hasta ahora?

_______________________________________________

_______________________________________________

_______________________________________________

_______________________________________________

_______________________________________________

3. ¿Escucha o escuchaba a su pareja o expareja(s) con el mismo interés y entusiasmo como cuando la estaba conquistando, o como cuando está con su mejor amigo(a) hablando de un tema que le interesa? Explique:

_______________________________________________

_______________________________________________

_______________________________________________

_______________________________________________

_______________________________________________

Nombre: ______________________________ Fecha: ____________

Esta página fue dejada en blanco intencionalmente.

# ::: Sesión 12 :::

## Técnica del Parafraseo

**1. Objetivos**

a. Asegurarse que se ha entendido bien un mensaje, queja o crítica, sin llegar a ponerse a la defensiva.
b. Evitar reaccionar agresivamente o tomarse un mensaje de manera personal.
c. Aclarar o explicar posibles malentendidos.

Escuchar activamente y parafrasear lo escuchado son técnicas de comunicación interpersonal que permiten asegurarse de que el mensaje llegue adecuadamente y que sea interpretado de forma correcta.

Además, con estas técnicas podemos ayudar a otros (interlocutores) a ser más conscientes de lo que hablan y hasta reflexionar sobre lo que dicen, sin tener que llegar a reaccionar de manera agresiva u ofensiva.

**2. ¿En qué consiste la técnica del parafraseo?**

El parafraseo es una poderosa herramienta de comunicación efectiva, que consiste en **repetir o resumir en nuestras propias palabras** el mensaje de nuestro locutor (a quien estamos escuchando), y así asegurarnos de que el mensaje recibido es el correcto. Si no se ha escuchado activamente, no se puede llevar a cabo esta técnica.

**3. Algunas ideas que nos pueden ayudar a entender mejor y aplicar la técnica del parafraseo:**

a. Una cosa es lo que una persona quiso decir (locutor), lo que realmente dijo (locutor), lo que realmente la otra persona escuchó (receptor), y lo que esa persona (receptor) piensa que le quisieron decir.

b. Esta técnica se usa especialmente después de haber escuchado atentamente a alguien (locutor), acerca de algún comentario, queja, u opinión.
c. Para aplicar esta técnica es necesario responder inicialmente con frases tales como:

***"Lo que acabo de escuchar es..."***

***"Lo que me quieres decir es..."***

***"Lo que trato de entender es..."***

***"Si creo haber entendido bien, lo que me estás tratando de decir es..."***

***"Corrígeme si estoy mal, lo que estoy escuchando que me dices es...", etc.***

d. Esta es una buena manera de demostrar que ha escuchado activamente, que ha seguido la conversación y que necesita asegurarse que ha entendido bien el mensaje del locutor.
e. Esta técnica no es para defenderse de lo escuchado, ni justificar que no se está de acuerdo con lo escuchado. Sólo se trata de repetir lo escuchado en sus propias palabras o simplemente interpretar lo que acaba de escuchar.
f. Parafrasear es esencialmente aplicable cuando se ha escuchado una crítica o reproche de parte de alguien; y en lugar de reaccionar a la defensiva o de manera agresiva, le ayudará a reaccionar desde la tranquilidad, sin tomarse las cosas de manera personal, y sin estar necesariamente de acuerdo con lo escuchado.
g. La idea es que después de parafrasear lo escuchado, la persona involucrada (locutor) le dejará saber a quién le hizo llegar el mensaje (receptor), si está en lo correcto o incorrecto en lo que se acaba de escuchar, o tal vez querrá hacer alguna aclaración si es necesario.

### 4. ¿Por qué es importante la técnica del parafraseo?

a. Ayuda a crear un mayor sentido de cercanía e intimidad en una comunicación interpersonal.
b. Aumenta la posibilidad de prestar atención a los pensamientos y sentimientos de quien nos habla (locutor), aunque algunas veces no estemos de acuerdo.
c. Evita hacer suposiciones, asumir o llegar a una conclusión dudosa.
d. Impide tomar las cosas de manera personal.
e. Ayuda a no levantar muros contra nuestro locutor.
f. Frena la posibilidad de hacer interpretaciones que probablemente no se ajustan a la realidad o a lo que el locutor quiso decir.
g. Evita intentar transmitir anticipadamente un punto de vista o estar a la defensiva.
h. Detiene el impulso de querer reaccionar a la defensiva sobre el tema, antes de haber escuchado el mensaje completo.
i. Permite darle la oportunidad a quien nos está hablando (locutor) de corregir algo que ha mencionado y que no fue de su intención decir, pero que sí lo dijo.

## 5. Haciendo preguntas y reflexiones después de parafrasear

a. Después de parafrasear en una conversación, y antes de dar una opinión o expresar un punto de vista, es importante hacer preguntas para terminar de entender lo que el interlocutor quiso decir "entre líneas" o lo que se quiso decir y no quedó claro. Por ejemplo, preguntar:

***"¿A qué te refieres cuando dices...?"***

***"¿Puedo hacerte una pregunta antes de continuar o decir algo...?"***

***"Algo que no me quedó claro fue cuando mencionaste..."***

***"Me gustaría saber un poco más sobre lo que acabas de decir."***

b. En algunos casos sólo se quiere seguir en la comunicación activa y mostrar al mismo tiempo nuestra atención y reflexión con frases como:

***"Lo que acabo de escuchar suena como que estas frustrado(a)."***

***"No puedo imaginar lo decepcionado(a) y enojado(a) que debes estar con esto."***

***"¿Cómo crees que puedo mejorar esta situación?"***

## 6. Ejemplo del uso de la técnica del parafraseo

**Locutor:**
*"Cuando te conocí, una de las cosas que me gustaron de ti fue que eras una persona muy limpia y ordenada; sin embargo, desde que empezamos a vivir juntos, como que ya no te interesa el orden y dejas las cosas tiradas en cualquier lugar, y la verdad que estoy decepcionada(o) de ti."*

**Oyente usando la técnica del parafraseo:**
*"Lo que acabo de escuchar que me quieres decir es que me conociste como una persona ordenada y fue una de las cosas por las que te enamoraste de mí, ahora que vivimos juntos crees que soy muy desordenado(a) y no dejo las cosas en su lugar. Entiendo lo decepcionada(o) que estas, y me gustaría saber qué puedo hacer de hoy en adelante para mejorar esto".*

Como puede ver, el trabajo del oyente no es defenderse, ni justificar sus acciones, sólo repetir en sus palabras lo que escuchó y tratar de entender las emociones de su locutor, y finalmente preguntar si hay algo que se pueda hacer para mejorar la situación.

A continuación, se presenta un escenario donde su supervisor o supervisora en el trabajo ha pedido hablar con usted, y usted deberá escuchar atentamente, luego tendrá que repetir en sus propias palabras lo que acaba de escuchar, es decir, que deberá aplicar la técnica del parafraseo.

**Locutor:**

*"Buen día y gracias por venir. Pedí hablar contigo porque quería dejarte saber que desde que empezaste a trabajar en la empresa, has sido uno de los mejores, pero desde hace varias semanas, he visto que estás llegando tarde, te vas temprano, no terminas a tiempo con las responsabilidades que se te asignan, y además he venido recibiendo quejas de algunos de tus compañeros que andas a la defensiva, gritándoles sin razón aparente, y me gustaría saber qué es lo que está pasando contigo."*

**Oyente usando la técnica del parafraseo:**

"______________________________________________

______________________________________________

______________________________________________

______________________________________________

______________________________________________

______________________________________________

______________________________________________

______________________________________________

______________________________________________

______________________________________________

______________________________________________

______________________________________________

______________________________________________"

# ::: Hoja de Actividad #14 :::

## Técnica del Parafrasear

1. ¿Cómo aplicaría usted esta técnica en sus relaciones interpersonales?

______________________________________________

______________________________________________

______________________________________________

______________________________________________

______________________________________________

2. ¿Cómo cree que esta técnica le puede ayudar a mejorar sus habilidades de una comunicación efectiva con su pareja o futura pareja?

______________________________________________

______________________________________________

______________________________________________

______________________________________________

______________________________________________

3. ¿De qué otra manera considera que puede mejorar su comunicación con los demás?

______________________________________________

______________________________________________

______________________________________________

______________________________________________

______________________________________________

Nombre: ______________________________ Fecha: ____________

Esta página fue dejada en blanco intencionalmente.

# ::: Sesión 13 :::

## Técnica del Sándwich

**1. Objetivo**

a. Comunicar una crítica constructiva, hacer una petición o comunicar un desacuerdo de manera asertiva.

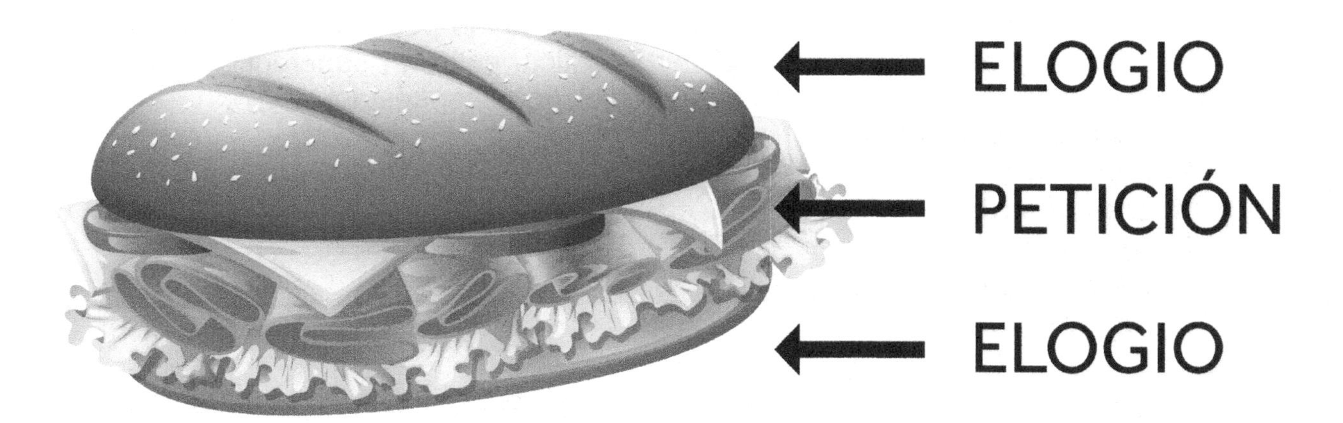


**2. ¿En qué consiste la técnica del sándwich?**

Esta técnica es una valiosa herramienta de comunicación efectiva cuando se requiere sugerir un cambio de conducta o hacer una petición a la pareja, hijo(a), amigo(a), familiar, compañero(a) de trabajo, empleado(a), etc.

**3. ¿Por qué es importante esta técnica?**

A la hora de solicitar, sugerir o proponer un cambio de comportamiento o actitud, es importante cómo lo decimos, para evitar que el interlocutor (quien escucha el mensaje), se ponga a la defensiva, mal interprete o tome la crítica de manera personal. Aunque algunas personas prefieren decir las cosas de manera directa, hay que tener cuidado, pues a veces el remedio puede ser peor que la enfermedad.

Antes de hacer una crítica, básicamente constructiva, es elemental saber cómo dirigirnos a esa persona, para que nuestro mensaje llegue de la mejor manera, sin ofender, y que nuestro interlocutor se dé por enterado que se le está sugiriendo algo, no imponiendo.

**4. Los 3 pasos fundamentales para usar esta técnica**

a. **El primer paso es la formulación de un elogio, aprecio o refuerzo positivo.**

La idea aquí es expresar de forma sincera y honesta un elogio. Se tiene que ser directo, claro, breve y conciso. Por ejemplo, empezar diciendo:

***"¿Sabes lo importante que eres para mí?"***
***"Te recuerdo lo mucho que te quiero y aprecio".***
***"Siempre me has demostrado ser capaz de lograr buenas cosas cuando te lo propones".***

***"Considero que eres muy inteligente".***
***"Una de las cosas que admiro de ti es ...".***
***"Yo sé que tienes un gran corazón", etc.***

b. **El segundo paso, que es el más importante de la técnica, es la petición, sugerencia, cambio de conducta o actitud.**
Es importante en esta parte de la técnica, evitar los mensajes en segunda persona, porque son los que retan, culpan, ponen a la defensiva, como, por ejemplo: *"Tú tienes que hacer...", "Tú eres...", "Tú nunca...", "Tú siempre", etc.* Usar mensajes en primera persona es la clave en este paso, y en lo posible debe expresarse en términos de preferencias para exponer la crítica, petición, sugerencia, malestar o posible problema. Por ejemplo, continuar diciendo después del elogio:
***"Yo quisiera que cuando..."***
***"Yo pienso que a lo mejor..."***
***"Yo creo que..."***
***"Me gustaría..."***
***"Yo desearía que cuando......"***
***"Yo preferiría...", etc.***

c. **El tercer paso de esta técnica consiste en expresar nuevamente un sentimiento positivo, elogio, o agradecimiento.**
De esta manera se cierra el mensaje haciendo nuevamente un reconocimiento o agradecimiento por el esfuerzo o disponibilidad al posible cambio de actitud o a la petición. Por ejemplo, terminar diciendo:
***"Te recuerdo una vez más lo importante que eres para mí".***
***"Yo confío que harás lo posible..."***
***"Desde ya aprecio mucho el esfuerzo que vienes haciendo...", etc.***

Hay que tener en cuenta que el interlocutor no tiene que estar necesariamente de acuerdo con la petición, pero al menos le dejaste saber qué esperas de esa persona, así mismo él o ella decidirá si toma en cuenta y aplica o lleva a cabo la petición o sugerencia.

## 5. Ejemplo de la técnica

***(Elogio ☺)*** *"Tú sabes muy bien que una de las cosas que aprecio de ti es tu sinceridad...*

***(Petición)*** *Y te agradecería que antes de hacer algún cambio de planes, por favor me dejes saber con tiempo; pues no tenía idea que ya no querías ir a cenar con nosotros.*

***(Elogio ☺)*** *Sin embargo, esto no quita que reconozca que siempre estás en la mejor disposición para resolver algunas diferencias entre nosotros".*

Finalmente recuerde que la ventaja de usar la técnica del sándwich es que, si es utilizada de manera adecuada y oportuna, se puede evitar que la otra persona, quien escuchó la crítica constructiva o petición, se ponga a la defensiva, o que lo tome de manera personal, y así aumentará la posibilidad que el cambio de conducta o petición ocurra, sin presión o manipulación.

# ::: Hoja de Actividad #15 :::

## Técnica del Sándwich

Utilizando los 3 pasos fundamentales de la técnica, escriba un ejemplo en una supuesta situación con su pareja, hijo(a), familiar o amigo(a), donde usted le quiere dejar saber algo con lo que no está de acuerdo o simplemente quiere hacer una petición.

1. Primer paso (formulación de un elogio, aprecio o refuerzo positivo):

2. Segundo paso (petición, sugerencia, crítica o cambio de actitud):

Continúa >>>

3. Tercer paso (sentimiento positivo, elogio o agradecimiento):

Nombre: ____________________ Fecha: ____________

# ::: Sesión 14 :::

## Explorando El Enojo

**1. Objetivos**

a. Reconocer el enojo como un sentimiento normal y ser consciente del mismo sin negarlo, ni reprimirlo, ni actuar o reaccionar agresivamente.
b. Reconocer los niveles de enojo cuando ocurren.
c. Estar libre de episodios explosivos o agresivos.

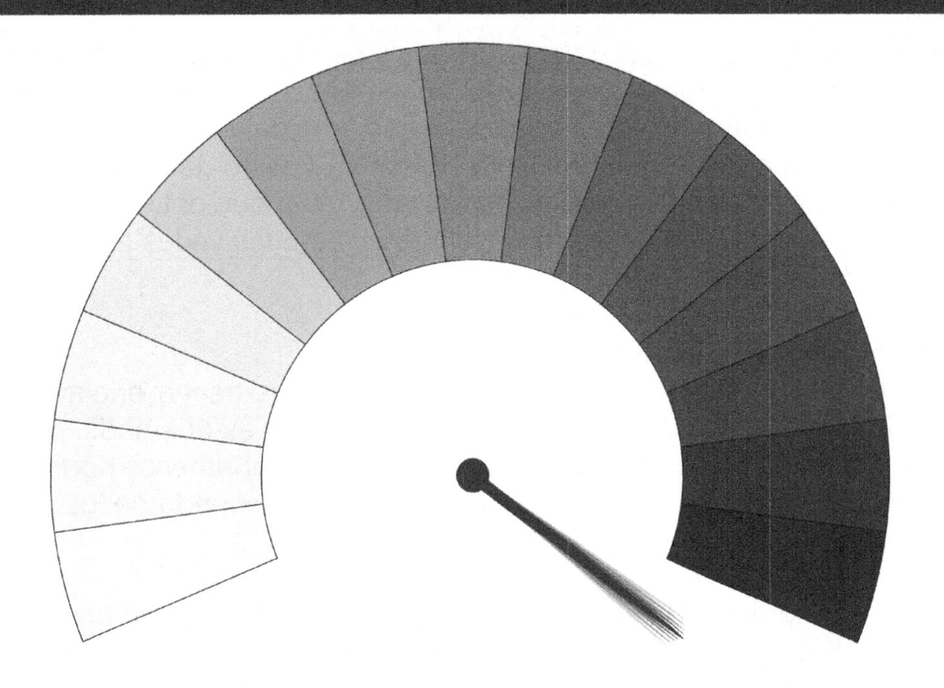


Algunas personas suelen pensar que, ante una situación injusta, necesariamente se tienen que enojar. Desde esta perspectiva podría considerarse normal que alguien sienta algún dolor emocional, y pueda llegar a reaccionar de diversas formas. Estas pueden ser: actuar a la defensiva, quedarse quieto(a), reprimir el dolor emocional, prepararse para atacar con la finalidad de deshacerse del sentimiento incómodo, o llegar a reaccionar agresivamente.

**2. ¿Qué es el enojo?**

El enojo o ira, coraje, cólera, como también se le conoce, es una emoción normal, universal, y es una de las emociones más comunes en el ser humano. Este sentimiento no solo es normal, es hasta saludable y necesario cuando se expresa de manera adecuada y oportuna.

Este sentimiento puede estar dirigido a alguien, o puede ser en contra de uno mismo(a). Asimismo, el enojo puede presentarse como un sentimiento secundario o como mezcla de otros sentimientos como: Frustración, miedo, inseguridad, decepción, indignación, impaciencia, desconcierto, desconfianza, arrogancia, vergüenza, etc.

**3. ¿Cuándo se convierte el enojo en un problema?**

El enojo se puede convertir en un problema cuando se vive con demasiada intensidad y se expresa de manera inapropiada, llegándose incluso a perder el control y actuar de manera agresiva o violenta, que lejos de solucionar un problema lo puede empeorar.

**4. ¿Estar enojado(a) y actuar de manera agresiva es lo mismo?**

El enojo es una emoción que puede variar de intensidad según el estado emocional de la persona o la situación que dio lugar al desencadenamiento del enojo. El enojo puede llegar a sentirse desde un nivel muy leve, como el estar incómodo por alguna situación en particular, hasta llegar a la furia y convertirse en un comportamiento agresivo o violento.

Una persona con bajo control de sus impulsos usualmente expresa su coraje de manera agresiva, ya sea verbal o física, y suele actuar amenazando, intimidando, agrediendo, vengándose, etc. En este momento es cuando el enojo ha dejado de ser una emoción para convertirse en un comportamiento agresivo o violento. El costo de explotar puede ser muy alto y llegar a tener implicaciones legales. Tenga en cuenta que entre la emoción de enojo y una reacción agresiva hay una línea muy delgada y algunas veces esa línea es borrosa. ¡Si usted cruza la línea, pierde!

**5. ¿Pueden los demás hacernos enojar?**

Comúnmente se creen que son los demás los que nos hacen enojar y que por eso reaccionamos como reaccionamos, sin embargo, la realidad es que nadie puede hacernos enojar si no queremos, ya que cada uno de nosotros tenemos el inmenso poder de influenciar, manejar, regular y controlar nuestras emociones, y eso no depende de los demás, sino de nosotros mismos.

Por ejemplo, puede que alguien le insulte y lo haga con la sola intención de hacerlo(a) sentir enojado(a). Sin embargo, el que usted se enoje o no se enoje, o decida reaccionar de manera agresiva, dependerá exclusivamente de usted y no de alguien más. De cualquier manera, usted es el responsable de lo que siente o cómo decida reaccionar. Recuerde que siempre tendrá alternativas.

**6. El enojo y la baja tolerancia a la frustración**

El enojo también está relacionado con la baja tolerancia a la frustración, es decir a la incapacidad para tolerar las molestias, incomodidades o frustraciones de la vida. Por eso es importante aprender a ser tolerantes y flexibles ante las adversidades de la vida, y aceptar aquello de lo que no se tiene control, aunque lo que esté escuchando o viendo no le guste. Eso no significa que esté de acuerdo o lo apruebe.

Aun cuando alguien está enojado, puede tener la habilidad de recuperarse rápidamente de ese sentimiento de dolor, sin tener que actuar de manera agresiva o valerse de comportamientos inadecuados como recurrir al alcohol o drogas.

**7. ¿Cuáles serían algunas maneras inapropiadas de manejar el enojo?**

a. Reprimiendo el enojo: Negarlo, no expresarlo adecuadamente, o aguantar constantemente el enojo puede causar problemas físicos o psicológicos (problemas gastrointestinales, problemas cardiacos, ansiedad, depresión, pensamientos suicidas/homicidas, etc.).

b. Desviando el enojo con otros: Expresar el enojo con personas o animales que no tienen nada que ver con su enojo, o expresarlo de manera indirecta siendo hostil, sarcástico(a), irónico, agresivo, o quejándose injustamente con personas ajenas a la situación.

c. Perdiendo el control: Expresando el enojo gritando, insultando, humillando, tirando cosas o agrediendo a la persona con quien se está enojado(a).

d. Castigándose: Hablarse negativamente a sí mismo o agredirse físicamente.

**8. El Enojómetro**

El enojómetro o "termómetro del enojo", es una escala de valoración que permite ser consciente del sentimiento del enojo, diferenciarlo e identificar su nivel, dándole valores que pueden ir del 1 al 10. Aquí los niveles de valoración del enojo:

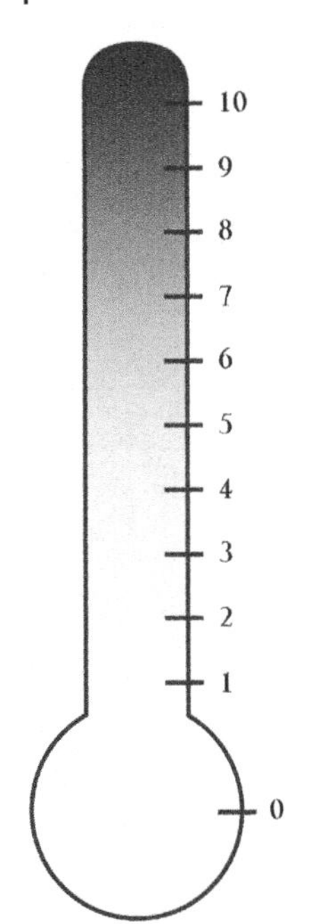


10. Explosión (Pérdida del control)
9. Furioso(a)
8. Enfurecido(a)
7. Muy enojado(a)
6. Moderadamente enojado(a)
5. Visiblemente enojado(a)
4. Disgustado(a)
3. Fastidiado(a)
2. Ligeramente enojado(a)
1. Incómodo(a)
0. Calmado (a)

Cuando una persona ha alcanzado el nivel 10 en la escala del enojo ("enojómetro"), es cuando ha perdido el control y probablemente ha decidido actuar bajo la furia.

Esta página fue dejada en blanco intencionalmente.

# ::: Hoja de Actividad #16 :::

## Explorando Mi Enojo

Para obtener una mejor comprensión de sus emociones cuando está enojado(a) y sus reacciones agresivas, describa una situación extrema donde usted NO haya podido manejar el enojo adecuadamente y llegó a reaccionar de manera agresiva (no tiene necesariamente que ser su caso de violencia doméstica). Detalle la situación respondiendo las siguientes preguntas:

1. ¿Quién o quiénes estuvieron involucrados en la situación? ¿Cómo empezó? ¿Qué ocurrió? Finalmente usando el "enojómetro", estime ese enojo otorgándole un grado (1-10).

____________________________________________________________

____________________________________________________________

____________________________________________________________

____________________________________________________________

2. ¿Por qué se sintió enojado(a)?

____________________________________________________________

____________________________________________________________

____________________________________________________________

____________________________________________________________

3. ¿Qué sintió físicamente mientras estaba enojado(a)?

____________________________________________________________

____________________________________________________________

____________________________________________________________

____________________________________________________________

4. ¿Cuáles fueron sus emociones involucradas en el enojo? ¿Se sintió herido(a), frustrado(a), estropeado(a), rechazado(a), desilusionado(a), temeroso(a), etc.? Valore cada emoción otorgándole un grado (1-10).

____________________________________________________________

____________________________________________________________

____________________________________________________________

_________________________________________________________ Continúa>>>

5. ¿Cuáles fueron los pensamientos, valores o creencias que dieron lugar a que usted sintiera ese enojo?

______________________________________________

______________________________________________

______________________________________________

______________________________________________

6. ¿Hasta dónde llegó su reacción o comportamiento agresivo?

______________________________________________

______________________________________________

______________________________________________

______________________________________________

7. ¿Cuáles fueron las consecuencias de su comportamiento agresivo?

______________________________________________

______________________________________________

______________________________________________

______________________________________________

8. ¿Qué haría diferente ahora si enfrentase la misma situación?

______________________________________________

______________________________________________

______________________________________________

______________________________________________

Nombre: ______________________________ Fecha: ____________

# ::: Sesión 15 :::

## Reconociendo El Enojo

**1. Objetivos**

a. Identificar las situaciones o provocaciones que podrían desencadenar o dar lugar al enojo.
b. Observar los signos y síntomas particulares del enojo.
c. Ser capaz de expresar su enojo de manera productiva sin destruir propiedad, pertenencias personales o agredir.
d. Estar libre de comportamientos agresivos o problemas legales.
e. Entender la necesidad de detenerse y pensar antes de responder en situaciones de conflicto o alta tensión.

**2. ¿Por qué es necesario contar con un plan de manejo del enojo?**

Un plan personal de prevención e intervención para el manejo del enojo puede usarse para detener la intensificación del enojo antes de que sea demasiado tarde o se pierda el control.

Como parte de este plan es necesario saber identificar los niveles de su enojo, tomar conciencia de las situaciones o circunstancias que podrían activar o dar lugar a su enojo, y prestar atención a los cambios del cuerpo, emociones, pensamientos y comportamientos cuando está enojado(a).

Por ejemplo, si su pareja le lleva la contraria y usted se desespera o se enoja porque no puede hacerle cambiar su manera de pensar o actuar, ¡tenga mucho cuidado!, porque puede presentarse una situación de tensión que puede ir escalando. Si usted no presta atención a las reacciones de su cuerpo, usted, su pareja o ambos pueden llegar a explotar o perder el control.

Si usted pierde el control, lo más probable es que siga sufriendo y padeciendo de desilusión, desengaño, decepción, coraje y rabia porque culpa a los demás de "que lo han provocado" o que lo "han llevado" a actuar de una manera agresiva.

### 3. Midiendo el nivel del enojo

**El primer paso** para tomar control del enojo es el tomar conciencia de la emoción, sin negarlo, ni reprimirlo. El enojo puede expresarse de diferentes formas, y estas van a depender de cada persona y de la situación que se esté viviendo.

Una manera simple de observar las expresiones de enojo es usar el "enojómetro" o "termómetro del enojo" que va en una escala del 1 al 10, donde 1 es el nivel más bajo del enojo, y 10 es cuando se pierde el control y se ha llegado a la explosión.

El propósito de la valoración del enojo es observar qué tan enojado(a) se encuentra y cómo este enojo podría intensificarse. El enojo usualmente puede comenzar con un número bajo e ir escalando fácilmente. Si no presta atención a las señales de alerta antes que alcance niveles más altos, podría ser demasiado tarde para tomar control del enojo y es probable que termine reaccionando de manera agresiva, sin pensar en las consecuencias. Cuanto más rápido sea capaz de identificar sus niveles de enojo, mejores opciones y alternativas tendrá para reaccionar de la mejor manera.

### 4. Identificando el origen del enojo

**El segundo paso** para el control del enojo tiene que ver con su origen. El enojo puede tener su origen en las expectativas, frustraciones, miedos, necesidades o experiencias que ha vivido. Si alguien no responde como usted espera o se comporta de una manera diferente a la que desea, y se siente fácilmente enojado(a) o con ira, tenga cuidado de cómo va a reaccionar, porque podría ser peligroso para usted o los que lo rodean.

Como podemos ver, el enojo puede darse como respuesta a una situación que usted considera injusta y que aparentemente no puede controlar. Algunas otras situaciones pueden tener su origen en áreas sensibles de su vida. Por ejemplo, si usted ha sido abusado(a) verbal o físicamente de niño(a), y ahora de adulto alguien le grita o le insulta como cuando era niño(a), podría llevarle a reaccionar de manera agresiva.

Lo primero que debe hacer si alguien le insulta, le trata de manera injusta o le lleva la contraria, no necesita enfurecerse, aunque esa situación no le guste. RECUERDE: ¡Nadie lo hace enojar si usted no quiere! Usted decide si quiere enojarse, no son los demás quienes lo puedan hacer enojar, por lo tanto, es su responsabilidad expresarse de manera apropiada ante los demás y es su responsabilidad lidiar con sus propios sentimientos.

A continuación, encontrará una serie de escenarios y situaciones donde usted podría sentirse enojado(a). Marque las situaciones en las que probablemente llegaría a sentirse enojado(a) e identifique del 1 al 10 el nivel del enojo al que podría llegar en cada uno de ellos (Marque cero "0" si esa situación no le desencadena ningún nivel de enojo):

a. Que alguien me insulte o acuse injustamente ( )
b. Estar apurado(a) y encontrarme en plena congestión de tráfico ( )
c. Tener que limpiar, en el trabajo o casa, lo que no he ensuciado ( )
d. Que no me devuelvan un dinero prestado ( )
e. Que me empujen intencionalmente y que no se disculpen ( )
f. Descubrir que mi pareja me haya ocultado una verdad importante ( )
g. Sospechar una traición de mi pareja ( )
h. Descubrir una infidelidad de mi pareja ( )
i. Que vaya manejando y me toquen o piten la bocina injustamente ( )
j. Ser testigo de una injusticia social ( )
k. Que me hagan un gesto grosero con la mano o el cuerpo ( )
l. Que agarren mis cosas personales sin dejarme saber ( )
m. Que se burlen sarcásticamente de mí o me hagan "bullying" ( )
n. Que me ignoren mientras hablo ( )
o. Que mi hijo(a), hermano(a) me falte el respeto ( )
p. Que yo esté haciendo mi línea o fila y alguien no la respete ( )
q. Haber trabajado duro y que no me paguen ( )
r. Que mi equipo favorito pierda un partido importante ( )
s. Que me interrumpan cuando estoy hablando de algo importante ( )
t. Que invadan mi espacio personal ( )

Otras situaciones o provocaciones que podrían dar lugar a su enojo:

________________________________________

________________________________________

________________________________________

________________________________________

________________________________________

## 5. Identificando las señales del enojo

**El tercer paso** para tomar control de su enojo es identificar las señales de su propio enojo. Tiene que prestar atención a las reacciones biológicas y fisiológicas de su cuerpo, manera de pensar, sentir y actuar cada vez que está enojado(a). Esto le ayudará a tomar decisiones sanas e inteligentes antes de que llegue a actuar bajo el enojo o pierda el control.

***a. Reconociendo las reacciones fisiológicas*:**

Como una reacción natural del cuerpo ante el enojo, se puede llegar a sentir aumento de la frecuencia cardiaca, aumento de la presión arterial, aumento de sus pulsaciones, enrojecimiento corporal, tembladera, movimientos extraños en el abdomen, etc.

**b. *Identificando las emociones detrás del enojo:***
El enojo se presenta como una emoción secundaria, es decir, que detrás del enojo se presentan otras emociones primarias como frustración, decepción, indignación, miedo, inseguridad, abandono, vergüenza, tristeza, desprecio, impotencia, etc.

**c. *Observando las actitudes o conductas:***
Prestar atención a las actitudes o comportamientos cuando se está enojando, es otra de las herramientas para poder controlar el enojo. Por ejemplo, obsérvese a sí mismo(a) si: camina nervioso(a), levanta la voz, insulta, maldice, aprieta los puños, aprieta la mandíbula, rechina los dientes, tira o patea algún objeto, etc.

**d. *Pensando antes de actuar:***
No es lo que las personas puedan decir o hacer lo que le puede hacer sentir enojado(a), sino **cómo usted podría interpretar la situación**. Aunque algunos digan que "no piensan" cuando están muy enojados, y que sólo actúan; ¡eso no es cierto! La realidad es que siempre nos decimos algo antes de reaccionar y eso se llama el "discurso interno" o el "diálogo con uno mismo". Es decir, siempre nos estamos diciendo algo o pensamos antes de actuar. Identifique sus pensamientos automáticos ("es un estúpido", "a mí no me va a faltar el respeto", "no me voy a dejar", etc.), e inicie un diálogo interno constructivo ("no me pondré a su nivel", "no le voy a dar gusto que me haga enojar", "no vale la pena pelear", "es en vano discutir en este momento", etc.)

### 6. Explorando nuevas alternativas

**El cuarto paso** para el control del enojo sería usar algunas técnicas para "enfriarse" o "serenarse" como: respiración profunda, relajación, yoga, atención plena del momento (mindfulness), tiempo fuera, asertividad, etc. También piense en las consecuencias negativas o en lo que podría perder si decide actuar bajo la ira, por ejemplo: "podría ir a la cárcel", "voy a perder el trabajo", "voy a perder mi relación", etc.

Finalmente recuerde que hacerse consciente de los cambios corporales, de las emociones, pensamientos, y comportamientos es ganar tiempo para tomar decisiones oportunamente y es saber que tenemos nuevas alternativas en lugar de reaccionar de manera agresiva.

### 7. Aplicando la Técnica del Semáforo

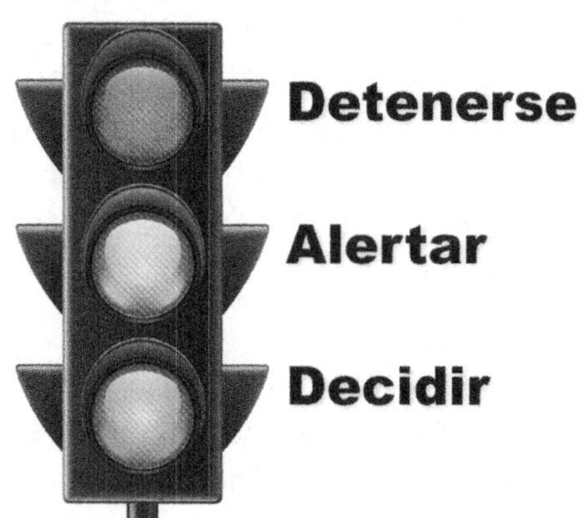


Las señales de enojo también pueden ser comparables a las señales de un semáforo, donde el color **rojo** es para detener cualquier conducta agresiva o pensamientos automático, evitando así llevar a cabo alguna reacción impulsiva/agresiva; el color **amarillo** es la señal de alerta a los cambios del cuerpo para tomar las precauciones necesarias, antes que sea demasiado tarde. Y el color **verde** es para tomar la decisión de seleccionar la respuesta más adaptativa a la situación y llevarla a cabo de la mejor manera, sin agredir, ni reprimir emociones.

# El Enojo y sus Emociones

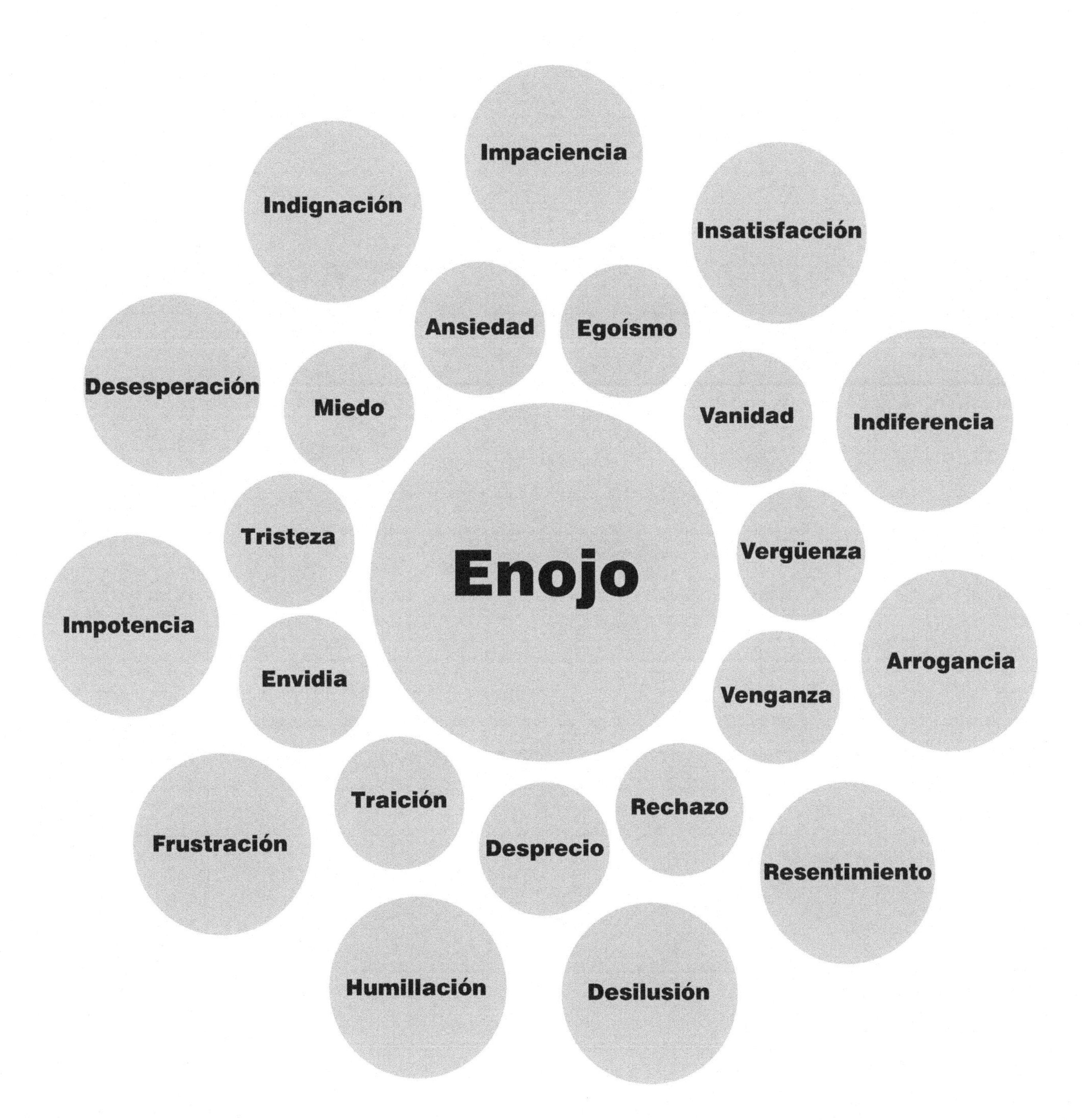

Esta página fue dejada en blanco intencionalmente.

# ::: Hoja de Actividad #17 :::

## Reconociendo Mi Enojo

1. Algunos acontecimientos o situaciones en las que he terminado con episodios de arranque de furia y explosión en el pasado son:

2. Algunas de las señales fisiológicas que mi cuerpo ha experimentado o experimenta cuando me siento muy enojado(a) son:

3. Algunas de las emociones o sentimientos que he llegado a experimentar cuando me he sentido muy enojado(a) son:

4. Cuando me he sentido muy enojado(a), algunas de las ideas o pensamientos que tenía eran:

Continúa>>>

5. Algunas de las actitudes o comportamientos agresivos que he experimentado cuando he explotado son:

________________________________________

________________________________________

________________________________________

________________________________________

6. Algunas de las consecuencias negativas que he sufrido por haber explotado o haber manifestado mi enojo de manera agresiva han sido:

________________________________________

________________________________________

________________________________________

________________________________________

Nombre: ______________________________ Fecha: __________

# ::: Hoja de Actividad #18 :::

## Reconociendo Mi Enojo

Durante las próximas semanas registre aquellas situaciones en las que haya estado enojado a lo largo de cada día, en qué situaciones han ido surgiendo esos sentimientos y el nivel de enojo alcanzado en cada uno de ellos. La idea es que usted vaya tomando conciencia de sus enojos que va viviendo en determinadas circunstancias, incluso aun cuando sienta contradictorio su enojo o sea parte de una mezcla con otras emociones. De esta manera irá afinando la capacidad de reconocer, diferenciar y reflexionar sobre sus enojos y saber cómo manejarlos.

Fecha: Del día ...................................................... al ......................................................

| Registro de mis enojos | | | | | | | |
|---|---|---|---|---|---|---|---|
| **Día/ Hora** | **Situación** | **Nivel de enojo (1-10)** | **Señales físicas** | **Pensamiento automático inicial** | **Emoción(es)** | **Pensamientos alternativos** | **Resultado** |
| | | | | | | | |
| | | | | | | | |
| | | | | | | | |
| | | | | | | | |
| | | | | | | | |

Nota: Durante las próximas sesiones de grupo, comparta con su terapeuta y compañeros el registro de sus enojos.

**Registro de mis enojos**

| Día/ Hora | Situación | Nivel de enojo (1-10) | Señales físicas | Pensamiento automático inicial | Emoción(es) | Pensamientos alternativos | Resultado |
|---|---|---|---|---|---|---|---|
| | | | | | | | |
| | | | | | | | |
| | | | | | | | |
| | | | | | | | |
| | | | | | | | |
| | | | | | | | |
| | | | | | | | |
| | | | | | | | |

Nota: Durante las próximas sesiones de grupo, comparta con su terapeuta y compañeros el registro de sus enojos.

# ::: Sesión 16 :::

## Mi Plan de Control del Enojo

**1. Objetivos**

a. Retirarse de posibles situaciones que podrían desencadenar en explosiones de furia o comportamientos agresivos.
b. Aprender y practicar habilidades positivas para el manejo del enojo, especialmente en situaciones de provocación o de emociones negativas intensas.
c. Aprender formas de comunicarse verbalmente cuando está enojado(a), sin gritar o usar lenguaje ofensivo o agresivo.
d. Desarrollar un Plan Individual de control del enojo que mejor funcione, en las diferentes circunstancias.

**2. Aquí algunas sugerencias que le podrán ayudar a desarrollar un Plan Personal del Control del Enojo:**

a. Preste atención a las reacciones fisiológicas de su cuerpo cuando está enojado(a).
b. Escúchese a sí mismo(a) antes de actuar. Esto se llama discurso interno o dialogo consigo mismo(a).
c. Preste atención a sus posibles reacciones y en las alternativas que tiene, descartando cualquier posibilidad de reaccionar de manera agresiva.
d. El enojo se vive bajo tensión, y lo primero que tiene que hacer es relajarse. Realice al menos tres respiraciones lentas y profundas, tomando aire por la nariz, y sienta su abdomen expandirse como si fuera un globo (sacando el abdomen, no el pecho), y luego bote el aire por la boca.
e. Mientras respira profundamente, repita lentamente una palabra clave que le ayude a relajarse, como, por ejemplo: "Relájate ... (use su nombre)".
f. Sustituya, reemplace o neutralice cualquier pensamiento negativo con uno positivo, como, por ejemplo, piense en sus seres queridos, o visualice imágenes positivas que le ayuden a calmarse, como: jugando con su mascota, caminando en la playa, mirando un paisaje, etc.
g. Si continúa enojado(a), agarre un hielo y apriételo. La sensación del hielo helado le distraerá.
h. Piense en las consecuencias o en lo que podría perder si llegase a actuar de manera agresiva o violenta, por ejemplo: ir a la cárcel, perder el trabajo, perder su relación, perder el respeto de sus hijos, etc.
i. No se tome las cosas de manera personal, ni menos asuma el rol de víctima.
j. Si alguien pretende provocarlo o sólo quiere verlo(a) enojado(a), recuerde que es más importante lo que usted piense de sí mismo(a), que lo que alguien pueda pensar de usted.

k. Tome su tiempo antes de hablar o responder. Si siente la tentación de decir algo negativo, es mejor quedarse callado(a) o retirarse. Más vale que se contenga en expresar algo que luego podría lamentar.
l. ¡Escuche!, aunque lo que esté escuchando no le guste. Trate de mantener contacto visual con la persona que le está hablando. No tiene que estar de acuerdo con lo que le están diciendo. ¡Sea rápido en escuchar y lento(a) en responder!
m. Evite caer en cualquier provocación, y no sea trágico(a) al momento de tomar una decisión. Las cosas no siempre se van a resolver a su manera.
n. Trate de mantener la calma al momento de expresar su enojo verbalmente. Hable en términos de preferencias, deseos, en lugar de demandar o exigir.
o. Si la situación es muy tensa, es mejor que se retire, salga a caminar o use el "tiempo fuera".
p. Hable con alguien de confianza que le ayude a tranquilizarse o a ver la situación de una manera diferente.
q. Escriba acerca de las emociones que está experimentando y cómo ha ido surgiendo ese enojo. De esta manera se hará consciente de sus propias emociones, incluso si considera que son contradictorias.

# ::: Hoja de Actividad #19 :::

## Mi Plan de Control del Enojo

Con la información obtenida y lo aprendido acerca del enojo, formule uno o varios Planes Personales que utilizaría en diferentes circunstancias para el control de su propio enojo:

1. En casa (son su pareja, hijos o familiares):

______________________________________________

______________________________________________

______________________________________________

______________________________________________

______________________________________________

______________________________________________

______________________________________________

______________________________________________

______________________________________________

______________________________________________

2. En el trabajo (con sus compañeros(as), jefe(a), supervisor(a), etc.):

______________________________________________

______________________________________________

______________________________________________

______________________________________________

______________________________________________

______________________________________________

______________________________________________

______________________________________________

______________________________________________

______________________________________________ Continúa >>

3. En la calle (manejando, caminando, comprando, etc.):

4. En otras circunstancias:

Nombre: ________________ Fecha: ________

# ::: Sesión 17 :::

## Los Celos en la Pareja

### 1. Objetivos

a. Ser capaz de articular la diferencia entre los pensamientos y sentimientos racionales e irracionales de los celos.
b. Reconocer los sentimientos de inseguridad y la falta de confianza en sí mismo(a) asociados con los celos hacia la pareja.
c. Aprender a identificar y controlar las imágenes distorsionadas de los celos.
d. Sustituir o eliminar cualquier conducta de inseguridad y controladora asociada con los celos.

### 2. ¿Qué son los celos?

Los celos son una respuesta emocional que aparece cuando una persona percibe una amenaza hacia algo que considera propio. También se conoce así al sentimiento de envidia hacia el éxito o posesión de otra persona. En el caso de las relaciones de pareja, los celos son un sentimiento de temor a perder a la persona amada.

### 3. ¿Son normal los celos en la pareja?

Cuando se siente los celos en forma moderada podría ser una respuesta emocional normal, pero cuando se sienten de manera exagerada o descontrolada, pueden llegar a convertirse en algo peligroso y es señal de que a nivel psicológico hay algo que no está bien. Algunas veces los celos pueden ser como la sazón de las especies para la comida. Un poquito de sal es suficiente, mucha sal puede echar a perder un buen plato y demasiada sal puede ser tóxico o dañino.

**4. Los celos y más:**

a. En pequeñas dosis, los celos pueden ayudar a potenciar la relación, pero cuando los celos son exagerados pueden nublar la razón y quien los siente puede llegar a perder la razón. El problema de los celos **no es lo que se ve, sino lo que se imagina.**

b. Los celos pueden estar basados en la duda de una posible sospecha de infidelidad de la pareja; y pueden ser considerados normales si aparecen a raíz de una posible amenaza que afecta la estabilidad de la relación.

c. Los celos pueden llegar a ser enfermizos o patológicos cuando se dan sin un motivo real, y pueden venir cargados de un excesivo sentido de posesión y desconfianza.

d. Cuando los celos vienen acompañados de imágenes totalmente distorsionadas de la situación, pueden llegarse a expresar de forma exagerada, agresiva y violenta.

e. Si usted sufre porque se imagina que su pareja podría engañarle y vive esta situación de manera real o difusa con mucha angustia, miedo, o deseo intenso de venganza; tenga cuidado porque no sólo usted podría estar sufriendo; es muy probable que su pareja y sus hijos también padezcan las consecuencias o termine por alejar a su pareja definitivamente.

f. Algunas personas confunden el "no ser celosos" con la **indiferencia** hacia su pareja. Dicen no importarles lo que su pareja podría hacer o está haciendo, porque "no son celosos". Esta situación podría llevar a la pareja a sufrir por la frialdad y desinterés de su propia pareja.

**5. ¿Cuál es el origen de los celos?**

**a. Falta de confianza en sí mismo(a):** las personas inseguras muchas veces no se sienten merecedoras del amor de su pareja y esto los lleva a desconfiar de la sinceridad y el cariño de la pareja.

**b. Sentimiento de abandono:** La persona celosa siempre está pensando que en cualquier momento su pareja puede conocer a alguien más atractivo o valioso, y que podría terminar por abandonarlo(a).

**c. Experiencias familiares:** Es probable que una persona que haya presenciado escenas de celos en sus padres tenga más predisposición a ser celoso(a).

**d. Experiencias vividas:** Una persona que ha sido traicionada alguna vez por su pareja o expareja, es más probable que desarrollen una personalidad celosa.

**e. Trastornos psicológicos:** las personas con ciertos trastornos de personalidad como los paranoides o narcisistas tienen una gran tendencia a desconfiar de los demás y por consiguiente a ser muy posesivos o celosos.

**6. ¿Cómo controlar los celos?**

a. Evite pensamientos destructivos que pueden hacer que el problema de los celos se agrave.

b. Identifique sus propias imágenes destructivas, deje de alimentar esos pensamientos e intente sustituirlos, reemplazarlos o neutralizarlos por pensamientos de seguridad y confianza que le ayuden a frenar sus celos.

c. Esfuércese por ser objetivo(a) y aprenda a diferenciar lo que son los hechos reales de lo que puede estar siendo manipulado por su propia imaginación.

d. Procure ser más tolerante y respetar el espacio de su pareja.
e. Evite ese impulso irrefrenable que lo(a) puede llevar a estar en todo momento controlando o cuestionado a su pareja al mejor estilo policíaco.
f. Comente lo que le ocurre a algún amigo(a) de confianza y pídale algún consejo.
g. Reflexione y escriba sobre lo que le ocurre e intente aclarar sus ideas. Esto le ayudará a exponer sus sentimientos con sinceridad y a descubrir sus miedos o necesidades.
h. Evite utilizar amenazas, hable claramente de lo que le ocurre con su pareja, no se ciegue con la rabia e intente buscar soluciones.
i. Evite culpar a su pareja de lo que le ocurre o siente, y deje de actuar bajo los celos.
j. Sea responsable de lo que siente o piensa, y no olvide que usted es responsable de sus acciones y reacciones.
k. Evite ser trágico(a) a la hora de asumir los celos. Esfuércese en reconocerlos como síntomas de su propia inseguridad y no como una posesión de la persona amada.
l. Aprenda a apreciar y valorar a la persona que tiene a su lado y a cuidar el amor del otro sin darlo siempre por hecho.

Esta página fue dejada en blanco intencionalmente.

# ::: Hoja de Actividad #20 :::

## Los Celos en la Pareja

**Responda cada respuesta siendo lo más honesto(a) posible:**

1.Si su pareja mantiene amistades cercanas del sexo opuesto, ¿Se siente celoso(a)?
□ Sí □ No □ Posiblemente

2. Si su pareja recibe un mensaje de texto o llamada y se aleja de usted para para responder, ¿Se pondría celoso(a)?
□ Sí □ No □ Posiblemente

3. Si su pareja tiene amigos(as) en las redes sociales y no sabe quiénes son, ¿Le dan celos?
□ Sí □ No □ Posiblemente

4. Frente a una infidelidad de su pareja, ¿Perdonaría a su pareja?
□ Sí □ No □ Posiblemente

5. ¿Continuaría en la relación con su pareja si le fue infiel?
□ Sí □ No □ Posiblemente

6. ¿Le dan celos si su pareja mantiene amistad con alguna expareja?
□ Sí □ No □ Posiblemente

7. ¿Aceptaría que su pareja se vaya con sus amistades a bailar a una disco?
□ Sí □ No □ Posiblemente

8. ¿Cree que si su pareja no le cela es porque no le quiere?
□ Sí □ No □ Posiblemente

9. ¿Le gusta que su pareja le muestre celos?
□ Sí □ No □ Posiblemente

10. ¿Le revisa o ha revisado a su pareja las llamadas o mensajes de su celular o de las redes sociales?
□ Sí □ Nunca □ Algunas veces

11. ¿Ha sido capaz o sería capaz de ponerle un GPS o cualquier otra aplicación electrónica para controlar las actividades de su pareja?
□ Sí □ No □ Posiblemente

12. ¿Le disgusta cuando sus amigos(as) saludan a su pareja con un beso en la mejilla?
□ Sí □ No □ Posiblemente

13. ¿Le cela el hecho que su pareja mire a alguien atractivo(a) "con otros ojos"?
   □ Sí □ No □ Posiblemente

14. ¿Se pondría celoso(a) si su pareja sale de la ciudad con sus amistades?
   □ Sí □ No □ Posiblemente

15. ¿"Pondría las manos en el fuego" que su pareja le ha sido siempre fiel?
   □ Sí □ No □ Posiblemente

16. ¿Se pondría celoso(a) si su pareja asiste a una despedida de soltero(a)?
   □ Sí □ No □ Posiblemente

17. ¿Se pondría celoso(a) si su pareja se arregla "muy bien", y se perfuma, como para ir al supermercado o ir por los niños a la escuela?
   □ Sí □ No □ Posiblemente

18. Si no le contesta de inmediato el teléfono o algún mensaje de texto, ¿se pondría celoso(a)?
   □ Sí □ No □ Posiblemente

19. Si su pareja le cambia la clave a su celular para que no tenga acceso, ¿Se sentiría celoso(a)?
   □ Sí □ No □ Posiblemente

20. ¿Le daría celos si su pareja lo(a) bloquea de alguna red social?
   □ Sí □ No □ Posiblemente

Nombre: ______________________________________________ Fecha: _____________

# ::: Sesión 18 :::

## ¿Empatía o Apatía?

### 1. Objetivos

a. Como ofensor de violencia doméstica, intentar comprender los sentimientos negativos y experiencias desagradables que la víctima o víctimas, pudieron haber pasado durante la relación de pareja o como parte del incidente legal de violencia doméstica.
b. Reconocer el impacto del abuso en la(s) víctima(s) (pareja, expareja, hijos, familiares, etc.).
c. Ser capaz de ofrecer una respuesta compasiva hacia la(s) víctima/s, sin volver la atención hacia sí mismo(a).

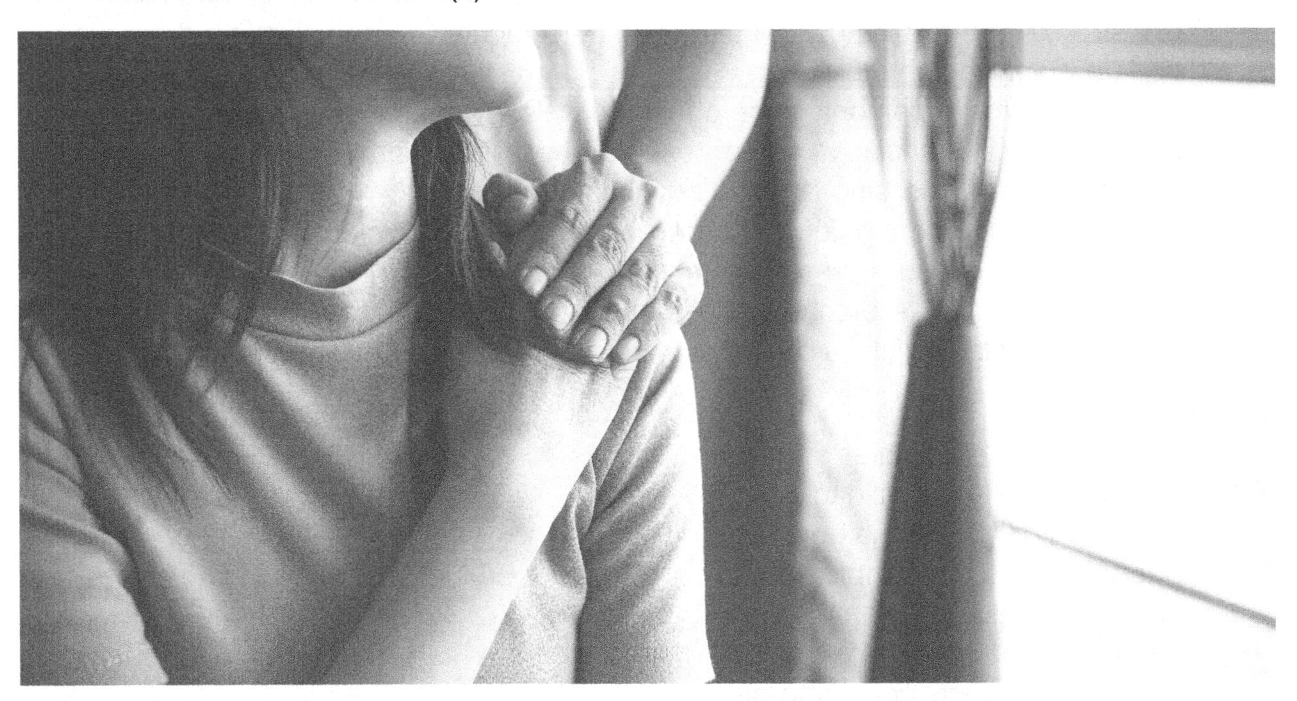

### 2. Empatía

a. Probablemente para muchos el término de **empatía** es nuevo o desconocido, sin embargo, es un término que tiene mucha aplicación en las relaciones interpersonales, y es la habilidad que tiene una persona para deducir las emociones y sentimientos de otros, y desde allí generar sentimientos profundos de entendimiento, comprensión y motivación.
b. En términos menos académicos, **empatía** implica ponerse en los zapatos de la otra persona para intentar entender o comprender sus temores, dudas, frustraciones, angustias y hasta sus alegrías. La empatía es una habilidad social que requiere práctica hasta que se convierta en un hábito personal.
c. Para desarrollar la capacidad de percibir las emociones de los demás y poder generar sentimientos de **empatía**, tenemos que partir de la capacidad de comprender, entender y sentir nuestras propias emociones.

d. Hay un proverbio chino que dice: "Si me quieres entender, camina un rato con mis zapatos". Lo que significa que, si queremos ponernos en el lugar de alguien, tenemos que hacer un esfuerzo para imaginarnos lo que esa persona está sintiendo en sus circunstancias específicas, para así entender su manera de pensar y sentir. Esto no implica necesariamente que estemos de acuerdo o que pensemos igual que esa otra persona.
e. Desarrollar **empatía** como ofensor de un caso legal de violencia doméstica, significa demostrar la capacidad de ponerse en el lugar de la víctima o víctimas, comprender sus sentimientos y puntos de vista. Esto requiere adoptar una actitud positiva y compasiva que demuestren comprensión, y de ser necesario, una actitud de apoyo o colaboración.
f. Cuando un ofensor de violencia doméstica muestra sensibilidad por las emociones de su pareja o expareja, a causa del incidente o incidentes que terminaron con cargos legales de violencia doméstica, podrá entender el impacto de la experiencia sufrida por su víctima. Así mismo, será capaz de reflexionar para no volver a ejercer ningún tipo de violencia sobre él o ella.
g. Toda relación interpersonal tiene que ver con la **empatía**, y ésta tiene aplicación en cualquier circunstancia, ya sea en el ámbito personal, familiar, laboral, social, y no sólo hacia personas, sino también con los animales.
h. No necesariamente alguien tiene que estar pasando por un momento difícil para querer ser empático y prestarle atención, o sentirse comprometido afectivamente. También se puede expresar empatía al sentirse contagiado o involucrado cuando alguien está alegre, feliz o contento.

### 3. Apatía

a. Lo contrario a empatía es **apatía**, que significa la invalidación o anulación de lo que una persona pueda sentir. Por ejemplo; si su pareja expresa un sentimiento de tristeza y usted la(o) ignora o la(o) contradice por cómo se siente, el sentimiento de ella(él) puede ser mayor, porque no es entendida(o) o comprendida(o) desde su perspectiva, es decir usted no está poniéndose en su lugar.

b. Algunas investigaciones indican que los bajos niveles de empatía hacia la(s) víctima(s) también pueden estar relacionados con la alta probabilidad de reincidencia de un ofensor de violencia doméstica (Bancroft, 2002).

**4. Ejemplo de un caso de empatía**

Una ama de casa ha tenido un día muy difícil con los niños, y se siente muy cansada, fastidiada y sensible. Su pareja llega a casa, también cansado, con ganas de descansar y de no escuchar quejas de nadie. Sin embargo, cuando él ve a su esposa aparentemente frustrada, su estado de ánimo cambia inmediatamente y muestra preocupación por su pareja, y le pregunta si todo está bien, ¿qué está pasando? y ¿por qué está así?; y decide escucharla atentamente. Entonces ella empieza a contarle el día tan difícil que ha tenido con los niños y que además ha tenido que ir a la escuela de sus hijos, hacer compras, cocinar, limpiar, ayudar con las tareas de la escuela de cada uno de los niños y que se siente frustrada.

En ese momento su pareja la abraza y le da ánimo, diciéndole que entiende por qué se siente así, y que en su lugar él podría sentirse igual o peor. Además, él le pregunta si hay algo que pueda hacer por ella en ese momento, para ayudarla a sentirse mejor. Finalmente, ella agradeció a su pareja por el gesto que tuvo con ella y le dijo que lo único que ella esperaba de él es que la escuchara y la entendiera cómo se sentía.

**5. Ejemplo de un caso de apatía**

Se trata de una señora quien se encontraba muy triste, angustiada y desesperada por su hija de 4 años, que se encontraba internada en el hospital para ser intervenida quirúrgicamente de un serio problema al corazón. Decía que cada vez que la visitaban o hablaba con alguien, le decían: "No te preocupes, que todo va a salir bien con tu niña", "No te pongas triste", "Déjalo en las manos de Dios", "Los médicos saben lo que hacen", etc. Las personas que le decían eso, con la mejor de sus intenciones, no estaban siendo **empáticas** con ella.

Cuando esta señora se encontraba sola, se decía a sí misma llorando que el "optimismo" de las personas la herían más, y se preguntaba: "¿Es que acaso esas personas no se dan cuenta que no me dejan hablar acerca de lo peor que pienso: Que podría perder a mi hija y no volverla a ver? Es como si me pusieran una mano en mi boca para callarme y que no me quejara de nada. ¿Por qué tengo que mentir o sonreír hipócritamente? El que me dijeran que todo saldrá bien con mi hija, no me hacía sentir bien, sólo me hacía sentir peor, porque lo único que estaban haciendo es anular e invalidar mis emociones". Finalmente, la señora se preguntó: "¿Por qué esas personas no paran con su "optimismo" y escuchan un poco para ponerse en el lugar de alguien que está pasando por un momento difícil como yo?".

Con estos dos ejemplos y a manera de conclusión, **empatía** no es otra cosa, sino el comprender el dolor ajeno, y tener la habilidad para reconocer, comprender y apreciar los sentimientos de los demás. Lo opuesto a la empatía es la **apatía**, que es la incapacidad de poder entender o "conectarse" emocionalmente con las personas, o simplemente el resistirse a comprender el dolor ajeno.

Esta página fue dejada en blanco intencionalmente.

## ::: Hoja de Actividad #21 :::

### ¿Empatía o Apatía?

A manera de ejemplos, enseguida se presentan una serie de situaciones de empatía y apatía. Identifique cada situación si es empatía o apatía, marcando en el cuadro correspondiente con una x:

| Situación | Empatía | Apatía |
|---|---|---|
| 1. Mirar una escena donde una mujer está siendo golpeada por su pareja, y presenciar el maltrato con indiferencia. | | |
| 2. Mostrar compasión y ayudar a una persona ciega a cruzar la calle. | | |
| 3. Acercarse a una persona que está llorando por la muerte de un familiar y sentirse triste por eso. | | |
| 4. Mostrar indiferencia ante la alegría de un familiar por un logro personal. | | |
| 5. Hacer algo por un compañero de trabajo que se ha lastimado. | | |
| 6. Un niño llega llorando a casa porque ha sido víctima de acoso escolar ("bullying") y es gritado por su padre por no saberse defender. | | |
| 7. Ignorar a la pareja cuando se está quejando del día difícil que ha tenido. | | |
| 8. Mostrar preocupación por la injusticia social de un país. | | |
| 9. Ignorar el dolor emocional de la pareja después de haberle gritado e insultado. | | |
| 10. Ir indiscriminadamente de cacería de venados por pura diversión. | | |
| 11. Percibir el dolor de cabeza de la pareja como algo preocupante. | | |
| 12. Disfrutar viendo un video donde animales están siendo maltratados. | | |
| 13. Grabar sarcásticamente con un celular la pelea de dos vecinos y ponerlo en las redes sociales. | | |

Continúa >>>

Escriba un ejemplo de **Empatía** en una experiencia personal con su pareja o expareja:

______________________________________________

______________________________________________

______________________________________________

______________________________________________

______________________________________________

______________________________________________

Escriba un ejemplo de **Apatía** en una experiencia personal con su pareja o ex pareja:

______________________________________________

______________________________________________

______________________________________________

______________________________________________

______________________________________________

______________________________________________

Nombre: ______________________________ Fecha: ____________

# ::: Hoja de Actividad #22 :::

## ¿Empatía o Apatía?

1. ¿Quién fue la víctima o víctimas en su caso legal de violencia doméstica? (Pareja, expareja, hijos, familiares, amistades, etc.)

________________________________________

________________________________________

2. Como ofensor de violencia doméstica, piense acerca del impacto de su ofensa en la víctima o cada una de las víctimas ¿Cómo cree que se sintió o sintieron las víctimas por su comportamiento agresivo? Explique:

________________________________________

________________________________________

________________________________________

________________________________________

________________________________________

3. ¿Quiénes fueron afectados por su ofensa en el incidente de violencia doméstica? (Pareja, expareja, hijos, familiares, amistades, etc.)

________________________________________

________________________________________

________________________________________

________________________________________

________________________________________

4. ¿Cómo y de qué manera cree que la ofensa ha afectado o perjudicado a cada uno de ellos?

________________________________________

________________________________________

________________________________________

________________________________________

__________________________________ Continúa >>>

5. ¿Cuál cree que ha sido el impacto o daño inmediato o a largo plazo que sufrió la víctima o víctimas por su ofensa (físico, emocional, social, económico, pérdidas materiales, etc.)?

______________________________________________

______________________________________________

______________________________________________

______________________________________________

______________________________________________

6. ¿Cuáles fueron sus emociones, pensamientos y reacciones antes y durante la ofensa?

______________________________________________

______________________________________________

______________________________________________

______________________________________________

______________________________________________

7. Como ofensor, ¿Cuáles son sus emociones y pensamientos ahora con respecto a la ofensa?

______________________________________________

______________________________________________

______________________________________________

______________________________________________

______________________________________________

8. ¿Cómo cree que la(s) víctima(s) se haya(n) sentido como resultado de la violencia doméstica?

______________________________________________

______________________________________________

______________________________________________

______________________________________________

______________________________________________

9. ¿Qué piensa o siente ahora al saber que una o varias personas fueron afectadas como resultado de su caso legal de violencia doméstica?

______________________________________________

______________________________________________

______________________________________________

______________________________________________

______________________________________________

10. ¿Cómo cree que usted se hubiera sentido si hubiera sido la víctima en este caso? ¿Qué emociones y reacciones hubieran salido de usted? ¿Y por qué?

______________________________________________

______________________________________________

______________________________________________

______________________________________________

______________________________________________

11. Si usted hubiera podido cambiar su manera de pensar antes de la ofensa, y evitar el impacto negativo en la(s) víctima(s), ¿Qué cambiaría?

______________________________________________

______________________________________________

______________________________________________

______________________________________________

______________________________________________

Nombre: ______________________________ Fecha: ____________

Esta página fue dejada en blanco intencionalmente.

# ::: Hoja de Actividad #23 :::

## Juego de roles

**Objetivo**

Ayudar a sentir el impacto de la ofensa cometida con su pareja con mayor profundidad, considerando la situación de la ofensa desde dos puntos de vista distintos.

**Parte A**

Escoja un(a) compañero(a) del grupo, y hágale las siguientes preguntas, como si usted fuera un(a) consejero(a) de víctimas y su compañero(a) es la víctima principal de un caso de violencia doméstica.

1. ¿Cuéntame por favor qué te ha sucedido? ¿Cómo te sientes con este incidente? ¿Qué has hecho hasta ahora?
2. ¿Qué has pensado hacer a partir de ahora? ¿Tienes algún plan de seguridad? ¿Tienes a dónde ir?
3. ¿Cómo fuiste lastimado(a) y afectado(a)? (Considere no sólo las posibles lesiones físicas, también el sufrimiento emocional, impacto laboral, pérdidas financieras o materiales).
4. ¿Cómo este incidente de violencia doméstica está afectando tu vida?
5. ¿Cómo esta situación ha afectado a tu familia? ¿Cómo crees que pueda ayudarte?
6. Mientras hable con su compañero(a), quien será la "víctima" en este caso:
   a. Escuche activa y detenidamente, demuestre interés en lo que está escuchando a través del lenguaje corporal, por ejemplo: afirmando con su cabeza, manteniendo contacto visual, tratando de demostrarle que usted entiende lo que él o ella, como víctima, está pensando y sintiendo.
   b. No interrumpa mientras la "víctima" habla.
   c. Parafrasee lo escuchado. Para asegurarse que ha entendido lo que acaba de escuchar, intente repetir en sus propias palabras lo escuchado, por ejemplo: "Si te he entendido bien, lo que me quiere decir es..."
   d. Haga todas las preguntas necesarias para clarificar y entender los sentimientos y pensamientos de la "víctima".
   e. Use la empatía. Trate de entender el punto de vista de la "víctima" y lo que pudiera estar pensando o sintiendo.
   f. Evite juzgar o ser irónico.
   g. Explique cómo se sentiría usted si estuviera en los zapatos de la "víctima".
   h. Reconozca el daño o impacto que fue hecho a la "víctima".

**Parte B**

Ahora, cambie de rol, donde su compañero(a) será el consejero, y usted será la víctima. Permita que le hagan las mismas preguntas que usted hizo, y siga cada uno de los pasos descritos anteriormente.

Después que el ejercicio haya terminado, piense en lo que usted escuchó de la "víctima". Discuta y reflexione con su compañero(a) o consejero del grupo sobre sus reacciones durante esta actividad.

Esta página fue dejada en blanco intencionalmente.

# ::: Proyecto Especial III :::

## Carta del Perdón

**Objetivos**

a. Como ofensor, demostrar absoluta responsabilidad por el incidente de violencia doméstica.
b. Ofrecer de manera sincera disculpas y pedir perdón con convicción a la(s) víctima(s) por la ofensa cometida.
c. Demostrar y reconocer el daño causado a la(s) víctima(s).
d. Expresar en realidad que está preocupado(a) por la(s) víctima(s) y que realmente quiere lo mejor para la víctima o víctimas.

**Pasos para tener en cuenta al escribir la carta**

1. Describa su ofensa y acepte que, en pleno conocimiento de sus acciones y comportamientos, resultaron en cargos de violencia doméstica, y que toma total y absoluta responsabilidad de sus actos.
2. Como ofensor, describa el daño que usted ha causado a su(s) víctima(s) y explique por qué usted es el o la responsable.
3. Escriba y muestre profunda empatía hacia su(s) víctima(s). Explique cómo la(s) víctima(s) pudo(pudieron) haberse sentido o quizás todavía se siente(n) por su comportamiento y actitudes en su contra, antes o durante la ofensa.
4. Escriba cómo se sentiría si usted estuviese en el lugar de la víctima o víctimas.
5. Describa cómo sus comportamientos ofensivos pudieron haber afectado a la familia o a los hijos.
6. Explique cómo se siente usted ahora acerca de la ofensa.
7. Describa lo que ha aprendido de esta situación y cómo va usted a cambiar sus pensamientos y comportamientos para no volver a caer en el mismo error.
8. Finalmente, si tuviera la oportunidad, exprese qué es lo que pudiera hacer o seguir haciendo para reparar el daño a su pareja o expareja.

Este es un ejercicio terapéutico. No tiene que enviar esta carta a la(s) víctima(s). La idea es mostrar empatía y profundo arrepentimiento por sus acciones. Prepárese para compartir esta carta con sus compañeros(as) del grupo.

"Yo ................................................... en pleno conocimiento de mis acciones, y comportamientos:

______________________________________________

______________________________________________

______________________________________________

______________________________________________

______________________________________________

Nombre: ____________________ Fecha: __________

# ::: Sesión 19 :::

## Aprendiendo a Manejar los Conflictos

### 1. Objetivos

a. Reconocer cómo la falta de comunicación o la deficiencia de las habilidades de resolución de conflictos pudieron haber estado relacionadas con su caso legal de violencia doméstica.
b. Aprender, desarrollar y aplicar habilidades para resolver conflictos.

A través de la comunicación, el compromiso, la comprensión y la empatía, cualquier desacuerdo o discusión de pareja puede ser constructivo y ayudar a fortalecer una relación. Sin embargo, algunas veces también el conflicto puede ser incómodo y hasta perjudicial para la relación de pareja, por lo que se necesita trabajar activamente para resolver cualquier tensión o desacuerdo, sin tener que llegar a pelear o llegar a la agresión. En esta y la próxima sesión se presentarán algunas ideas y habilidades que le podrían ayudar a manejar los conflictos de pareja de manera saludable, y a mantener una relación de calidad.

### 2. ¿Qué pasa si los problemas no se resuelven adecuada y oportunamente?

Los problemas de pareja no se quedan en el pasado si no han sido resueltos en su momento, por lo que no sólo es deseable, sino absolutamente necesario resolver cualquier conflicto o desacuerdo oportunamente, antes que se termine con una enorme lista de problemas no resueltos y salga de la peor manera en cualquier momento.

### 3. ¿Por qué algunas parejas no logran resolver sus diferencias?

Muchas parejas creen que han trabajado en la solución de los conflictos a través de la relación, pero sólo ha sido para "aparentar" que lo han intentado una y otra vez, o creen que han resuelto sus propios desacuerdos; sin embargo, han continuado experimentando una acumulación de emociones negativas, y la relación de pareja sigue sin funcionar.

Si usted es una de las personas que está convencido(a) de que su punto de vista es el único válido, entonces el asunto no tiene solución, y estará condenado(a) a llegar a un punto muerto, tal vez sintiéndose aún más frustrado(a) que antes con respecto a su relación.

**4. Contando su parte**

a. De ser necesario, déjele saber a su pareja que entiende su punto de vista, pero que lo ve de manera diferente, o que al parecer hay un malentendido, y que le gustaría explicar su punto de vista.
b. Use declaraciones en primera persona ("Yo"), por ejemplo: "Yo creo", "Yo pienso", "Yo me siento", "Yo considero", "Yo apreciaría si", etc.
c. Deje de culpar y evite usar mensajes en segunda persona ("Tú"): por ejemplo, evitar decir: "Tú empezaste", "Tú me hiciste enojar", "Tú siempre", "Tú nunca", etc.
d. Sea específico sobre lo que pasó. Enfóquese en el problema, no en la persona.
e. Muestre responsabilidad absoluta por sus pensamientos, emociones y acciones.

**5. Identificando emociones y necesidades**

a. Explique sus emociones, necesidades y prioridades. No espere que su pareja haga algo sin habérselo pedido expresamente, y luego se moleste porque su pareja no fue capaz de adivinar lo que necesita o desea.
b. Muestre interés y valide las emociones de su pareja. Por ejemplo: "Ahora puedo entender por qué te sientes de esa manera", "Veo que estás enojada(o) por…".
c. Separe de su mente las imágenes distorsionadas o suposiciones de la realidad de los hechos. Por ejemplo: "Es que yo supuse que…", "Yo me imaginé que…", etc.

**6. Explorando soluciones para llegar a acuerdos en común**

a. Parta de la idea que usted y su pareja están de acuerdo que hay un problema que resolver.
b. Descubra intereses comunes con su pareja, como el hecho de haber llegado a un acuerdo para tratar el problema.
c. Explore todas las posibles opciones para resolver un conflicto.
d. En lo posible busque tomar decisiones con su pareja para llegar a establecer acuerdos mutuamente.
e. Tome responsabilidad individual por cada acuerdo.
f. Exprésese en términos de preferencias, deseos, en lugar de demandar. Por ejemplo: "Me gustaría que nosotros de hoy en adelante o que la próxima vez...", "Yo desearía…", "Preferiría...", "Me encantaría…", "Qué tal si nosotros pudiéramos...", "Yo creo que tal vez deberíamos tratar de...", etc.

Finalmente céntrese en el hecho de que probablemente lo que sucede es que existen diferencias entre usted y su pareja, y que tienen que trabajar para superarlas…Y recuerde, no sólo se necesita hablar, se requiere acción.

***Si busca resolver un conflicto con su pareja asumiendo que usted tiene la razón o que debe ganar, obviamente le será difícil escuchar o llegar a un acuerdo.***

# ::: Hoja de Actividad #24 :::

## Manejo de Conflictos

Tomando como referencia su caso legal de violencia doméstica:

1. ¿Cómo se originó el conflicto con su pareja o expareja?

2. ¿El conflicto fue sobre un tema nuevo o frecuente?

3. ¿Cuál o cuáles fueron sus sentimientos y reacciones durante el conflicto?

4. ¿Supo escuchar las razones de su pareja o expareja acerca de su punto de vista, durante el conflicto?

Continúa >>>

5. ¿Consideró los sentimientos (empatía) de su pareja o expareja, durante el conflicto?

6. ¿Cuáles cree que fueron sus errores en este conflicto? (Evalúe la situación basándose en sus emociones y reacciones, sin culpar a su pareja o expareja.)

7. ¿Cree que este conflicto tenía otra forma de solución? Si la respuesta es SÍ, ¿cuál o cuáles?, si la respuesta es NO, ¿por qué?

8. ¿Cómo afectó este conflicto la relación de pareja o la familia?

Nombre: ______________________ Fecha: __________

# ::: Sesión 20 :::

## Estableciendo Acuerdos para el Manejo de Conflictos

### 1. Objetivos

a. Identificar formas proactivas de resolver conflictos objetivamente.
b. Mantenerse enfocado en una discusión positiva y productiva.
c. Establecer oportunamente reglas y acuerdos para resolver conflictos.

### 2. Resolviendo conflictos

a. Si desea mantener una comunicación efectiva con su pareja, necesitará ser humilde:
   - Acepte sus errores cuando los cometa.
   - Pida perdón cada vez que sea necesario.
   - Tenga en cuenta la posibilidad que pueda estar equivocado(a).
   - Admita cuando su pareja tenga la razón.
b. Cuando algún comportamiento de su pareja le ha molestado, deténgase un momento para pensar qué es exactamente lo que le ha molestado, y cuando tenga la idea clara déjele saber a su pareja.
c. No se guarde el por qué está molesto(a), ni espere que su pareja adivine por qué está molesto(a) o acabará con una larga lista de rencores acumulados, porque en algún momento podrían salir de la peor manera.
d. Tenga en cuenta que cada persona entiende las cosas a su manera y que no hay ningún motivo por el que su pareja tenga que entender las cosas como usted quiere o espera.

e. En vez de centrarse en lo equivocado(a) que podría estar su pareja, en lo injusto(a) que cree que es, o en lo mucho que le fastidia su postura; céntrese en el hecho de que lo que sucede es que "existen algunas diferencias" y que de ser posible deben trabajar para resolverlas.
f. Escuche a su pareja, trate de entender su punto de vista (aunque no lo comparta). Si se empeña en contradecirle o exigirle que adopte su posición, sólo conseguirá alejarlo(a), mientras que, si muestra un interés sincero y respeto por su punto de vista, tendrá más posibilidades que le escuche.
g. Haga todas las preguntas necesarias hasta entender bien la postura de su pareja, trate de ponerse en su lugar, averigüe lo que siente y asegúrese de que le ha entendido.
h. Tenga en cuenta que a veces su pareja puede no tener claro lo que le pasa. Ayúdele a descubrir sus posibles emociones encontradas. Por ejemplo: "Hasta ahora no me queda muy claro qué es lo me quieres decir…". "¿Hay algo que crees que yo pueda hacer para ayudarte con esto?"
i. Evite usar generalizaciones confusas, como, por ejemplo: "Tú nunca me prestas atención cuando te hablo", "Tú siempre haces problemas por todo". Sea tan específico(a) como cuando pretende describir a su médico un malestar físico. Si usted le dice al médico que le duele la espalda, no le da mucha información para una precisión diagnóstica. Tiene que decirle si le duele en la parte superior, media o baja de la espalda, así como si es en el lado izquierdo o derecho, con qué frecuencia le duele esa parte, con qué intensidad, si es durante todo el día, o sólo algunos momentos del día, o cuando se levanta, desde cuándo presenta ese dolor, qué ha hecho hasta ahora para mitigar ese dolor, etc.
j. No trate de intentar resolver los problemas de su pareja sin antes haber escuchado y entendido lo que le pasa y siente. Ofrézcale su ayuda o dele un consejo si se lo pide. Tenga en cuenta que es posible que sólo quiera que le escuche. Dele su apoyo o comprensión, y no busque resolverle su problema, si su pareja no lo desea.

### 3. Reglas básicas para resolver conflictos

a. Use el "tiempo fuera" cada vez que sea necesario.
b. Escuche activamente a su pareja, manteniendo contacto visual.
c. Evite interrumpir, aunque no le guste o no esté de acuerdo con lo que escuche (recuerde que, si pretende hablar al mismo tiempo que escucha, dejará de escuchar).
d. Parafrasee lo escuchado. Para asegurarse que ha entendido lo que acaba de escuchar, intente repetir en sus propias palabras lo escuchado. Por ejemplo: "Si te he entendido bien, lo que me quiere decir es...".
e. Haga todas las preguntas necesarias para clarificar y entender el conflicto, evitando así llegar a una conclusión incorrecta prematuramente.
f. Use la empatía (trate de entender el punto de vista de su pareja).
g. No juzgue, no insulte, ni levante la voz, especialmente si está enojado(a).
h. Sea honesto(a) al hablar, no finja, ni sea irónico(a). Trate de decir siempre la verdad.
i. No suponga, ni adivine lo que su pareja piensa (Por ejemplo, evite decir: "Es que yo me imaginé…", "es que yo creí…", "es que yo pensé que tú…")

# ::: Hoja de Actividad #25 :::

## Estableciendo Acuerdos para el Manejo de Conflictos

| De ser posible, con su pareja, identifique las reglas, acuerdos o compromisos a los que le gustaría llegar para resolver, manejar o enfrentar conflictos. | | | | |
|---|---|---|---|---|
| | Poner cada uno sus iniciales en los recuadros | | | |
| **Reglas, Acuerdos o Compromisos** | **De acuerdo** | | **En desacuerdo** | |
| 1. NO gritaré, no insultaré, ni ofenderé, aunque esté molesto(a). | | | | |
| 2. Escucharé la petición de mi pareja sin interrumpir. | | | | |
| 3. NO juraré, ni haré promesas que no voy a cumplir. | | | | |
| 4. En una situación de discusión tensa o escalonada, estaré de acuerdo en parar la discusión o tomar un "tiempo fuera" (Me alejaré o permitiré que mi pareja se aleje temporalmente, en lugar de continuar discutiendo). | | | | |
| 5. En lo posible, NO me iré a dormir enojado(a). | | | | |
| 6. NO haré sentir mal o reprocharé a mi pareja. | | | | |
| 7. NO exageraré, magnificaré o catastroficaré una situación de discusión o desacuerdo. | | | | |
| 8. Me enfocaré en el problema actual, no en mi pareja. | | | | |
| 9. Evitaré traer asuntos del pasado ya resueltos. | | | | |
| 10. Propondré soluciones alternativas. | | | | |
| 11. Mantendré contacto visual y asentaré con la cabeza para mostrar interés y comunicar que estoy con la mejor voluntad de escuchar activamente. | | | | |
| 12. Buscaré llegar a una solución consensual (de mutuo acuerdo). | | | | |
| 13. Durante una discusión, trataré de mantener la calma. | | | | |

Continúa >>>

| | | | | |
|---|---|---|---|---|
| 14. Mantendré un volumen de voz adecuado. | | | | |
| 15. Usaré mensajes en primera persona. | | | | |
| 16. Evitaré los mensajes acusatorios en segunda persona. | | | | |
| 17. Mostraré humildad y de ser necesario reconoceré mis errores. | | | | |
| 18. Pediré disculpas o perdón cuantas veces sea necesario. | | | | |
| 19. NO discutiré delante de los hijos o terceras personas. | | | | |
| 20. Seré honesto(a), me comunicaré abiertamente y diré la verdad. | | | | |
| 21. Evitaré suponer, adivinar, hacer suposiciones o saltar a conclusiones sin antes haber preguntado o aclarado sobre el tema en discusión. | | | | |
| 22. Expresaré apropiadamente mis sentimientos negativos (enojo, frustración, etc.). | | | | |
| 23. Validaré y mostraré interés por las emociones y necesidades de mi pareja (empatía). | | | | |
| 24. Tomaré responsabilidad por mis acciones o reacciones. | | | | |
| 25. Admitiré cuando mi pareja tanga la razón. | | | | |
| 26. Respetaré el punto de vista de mi pareja (aunque no esté de acuerdo). | | | | |
| 27. NO aplicaré la "ley de hielo". | | | | |
| 28. Me mantendré libre de alcohol o drogas antes o durante un conflicto. | | | | |
| 29. Mostraré siempre respeto por mi pareja. | | | | |
| 30. Evitaré tomarme las cosas de manera personal. | | | | |

Continúa >>>

| | | | | |
|---|---|---|---|---|
| 31. Seré claro en las peticiones, propuestas, acuerdos y desacuerdos. | | | | |
| 32. NO incluiré a la familia o a terceras personas que no tienen nada que ver con el conflicto. | | | | |
| 33. Haré todo lo posible para cumplir con las promesas hechas. | | | | |
| 34. Respetaré la privacidad de mi pareja, con sus cuentas electrónicas personales (móviles, correos electrónicos, o cualquier otra cuenta de las redes sociales). | | | | |
| Otros que usted o su pareja considere: | | | | |
| 35. | | | | |
| 36. | | | | |
| 37. | | | | |
| 38. | | | | |

Nombre: ______________________________ Fecha: ____________

Esta página fue dejada en blanco intencionalmente.

## *Los Cinco Lenguajes de Amor (*)*

*Como sabemos, el amor puede expresarse de cientos de maneras, y cada uno puede tener su propio estilo. Sin embargo, hay que saber comprender el lenguaje del amor de la pareja para expresarle esa emoción tan intensa con el que él o ella se siente identificado(a).*

*Los 5 tipos de lenguajes del amor enseñan a comprender mucho mejor esta dimensión del amor, a expresarlo y también a saber recibirlo, pero lo más importante es demostrarle el amor a la pareja en su lenguaje, como a él o a ella le gusta. Aquí brevemente los cinco lenguajes del amor:*

1. ***Palabras de Afirmación***
   - ◊ *Expresar frecuentemente el amor con palabras que afirmen orgullo, halago, respeto, encanto, admiración y felicidad.*
   - ◊ *Escribir notas, enviar o dejar mensajes, cartas, tarjetas con contenidos de encanto, afecto, amor, valoración, etc.*
2. ***Tiempo de Calidad***
   - ◊ *Dedicar un tiempo exclusivo para la pareja (atención no dividida), donde toda su atención está enfocada en la pareja.*
   - ◊ *Mantener contacto visual en lo posible.*
   - ◊ *Hablar de lo que es importante para ambos (sueños, planes, recuerdos, frustraciones, miedos, etc.).*
   - ◊ *Aprovechar esta oportunidad para encontrar cosas que tienen en común y que los puede unir más.*
3. ***Hacer Presentes (Regalos)***
   - ◊ *Hacer pequeños detalles o regalos a la pareja.*
   - ◊ *No tiene que ser un regalo costoso, ni estar relacionado necesariamente con fechas de cumpleaños, navidad, etc.*
   - ◊ *Sorprender a la pareja con un arreglo floral, una caja de chocolates, un postre, algún detalle hecho con sus propias manos, o algo que le demuestre que estuvo pensando en él o ella.*
4. ***Actos de Servicio***
   - ◊ *Ayudar a la pareja a realizar parte de sus tareas, sin que se lo haya pedido.*
   - ◊ *Hacerle favores que sabe que necesita.*
   - ◊ *Hacer cualquier acto que le libere el peso de algo que él o ella tenía que hacer, como limpiar, salir a comprar, preparar una cena, etc.*
   - ◊ *Ofrecerle ayuda cuando la pareja está muy ocupada(a) o cuando está haciendo varias cosas a la vez.*
5. ***Contacto Físico***
   - ◊ *Hacer contacto físico en silencio o acariciarle el cuerpo, sin que tenga una intención oculta de llegar a la intimidad.*
   - ◊ *Hacerle un masaje corporal.*
   - ◊ *Tomarle la mano o abrazar a la pareja cuando están solos o en público, sin que su pareja se lo pida.*

*(*) Basado en el libro escrito por Gary Chapman.*

Esta página fue dejada en blanco intencionalmente.

# ::: Sesión 21 :::

## Asertividad y Comunicación Interpersonal

**1. Objetivos**

a. Identificar los diferentes estilos de comunicación interpersonal.
b. Practicar estilos alternativos de comunicación interpersonal que no sean ni pasivos, ni agresivos.
c. Adoptar un estilo asertivo para expresar pensamientos y sentimientos de forma honesta, directa y correcta, y al mismo tiempo respetar los pensamientos, creencias y derechos de los demás.

Expresar adecuadamente los sentimientos, pensamientos y deseos requiere de una importante habilidad personal e interpersonal, así como respetar las emociones o punto de vista de los demás. **La asertividad** es una poderosa herramienta de comunicación interpersonal que favorece la expresión de emociones y pensamientos, al mismo tiempo que entiende y respeta la de los demás.

**2. La Asertividad**

La asertividad es una forma de comunicación interpersonal en el que la persona no agrede, no ofende, ni se somete a la voluntad de otras personas, sino que expresa emociones, pensamientos de manera apropiada, clara, y directa, y defiende sus legítimos derechos.

**3. La comunicación interpersonal**

La comunicación interpersonal es una habilidad que tenemos los seres humanos para comunicar nuestros pensamientos, ideas y sentimientos. La comunicación interpersonal no sólo es verbal, también nos comunicamos con los gestos, las miradas, el cuerpo, etc.

## 4. Barreras de la comunicación interpersonal

Algunas de las barreras que pueden impedir que se desarrolle una buena comunicación son:

a. La manera de hablar, la rapidez con la que se habla, la falta de coherencia en las oraciones, el idioma, la edad, nivel de educación, etc.
b. El ambiente como: calor, frío, un asiento incómodo, distracciones visuales, ruido (teléfono, televisor, radio, bulla, interrupciones, etc.).
c. Cuando se hacen suposiciones (algo que se asume por hecho), saltar a una conclusión incorrecta, o tener una percepción parcial de una situación (lo que una persona ve y oye desde su punto de vista).

## 5. Estilos de comunicación interpersonal

Existen diferentes estilos de comunicación interpersonal, y una de ellas es la **comunicación asertiva**, que permite expresar emociones u opiniones de una manera apropiada, clara, y directa; al mismo tiempo que respeta las creencias y punto de vista de los demás, aunque no se esté de acuerdo. Una persona asertiva no necesita agredir, ni someterse a la voluntad de otras personas.

Los estilos de comunicación diferentes al estilo asertivo son: pasivo, agresivo, y pasivo-agresivo. A continuación, revisaremos cada uno de los principales estilos de comunicación interpersonal.

## 6. Estilo Pasivo

Es aquel estilo de comunicación que es propio de personas que evitan mostrar sus sentimientos, necesidades, ideas o pensamientos, por el temor a ser rechazados(as), o por miedo a ofender a los demás. El estilo pasivo se caracteriza por lo siguiente:

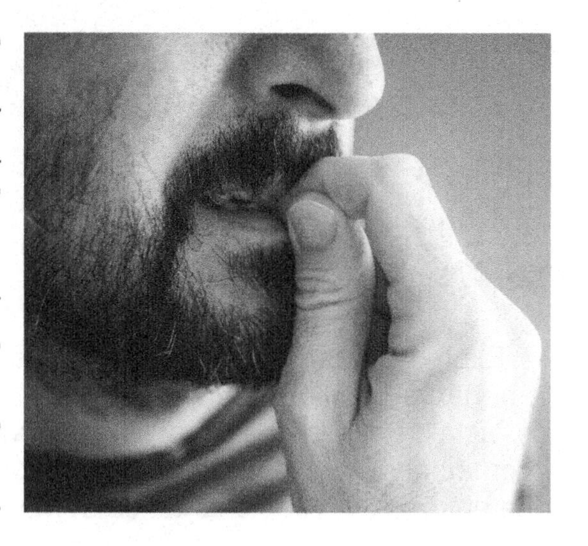

a. Da prioridad a las necesidades, deseos y sentimientos de los demás, aún a su propio costo.
b. No sabe defender sus propios intereses o derechos.
c. Muestra deseo excesivo de complacer a los demás.
d. Hace lo que otros le piden para sentirse apreciado(a), estimado(a) y valorado(a).
e. Permite que otros se aprovechen de él(ella).
f. Mantiene pobre contacto visual con los demás.
g. Muestra dificultades para expresar sus propias necesidades o deseos.
h. Muestra mucha inseguridad por no saber qué hacer, ni qué decir para "no hacer sentir mal a nadie".
i. Asume un rol de víctima porque se siente incomprendido y no es tomado en cuenta por los demás.
j. Siempre está buscando la aprobación de los demás.

k. Cuando surgen problemas, es de los que echan la culpa a las circunstancias y a los demás.
l. Se acobarda ante la posibilidad de crítica de los demás.
m. Es muy sensible a la crítica de los demás.
n. Es demasiado indeciso, no por falta de información, sino por miedo exagerado a equivocarse.
o. Dice "SÍ" cuando quiere decir "NO" y luego se siente enojado(a) consigo mismo(a) por haber dicho "SÍ".
p. Con el tiempo, tiende a caer en sentimientos de irritación, resentimiento, disgusto, impotencia, culpabilidad, frustración e insatisfacción consigo mismo(a).

**7. Estilo Agresivo**

Este estilo de comunicación es el opuesto al estilo pasivo, y se caracteriza por la imposición de sus propias opiniones. Sus sentimientos, deseos y necesidades personales son más importantes; ignorando o incluso despreciando los sentimientos, deseos y necesidades de los demás. Algunas características comunes del estilo agresivo:

a. Es arrogante y trata de pelear por todos los medios.
b. Se comporta agresivamente para dar la apariencia de ser "muy fuerte".
c. Busca de cualquier manera ganar en toda discusión.
d. Hace uso continuo de la crítica destructiva, la humillación y dominación en cualquier discusión o conversación.
e. Es irrespetuoso con los demás.
f. No está dispuesto a sacrificar sus emociones o necesidades por los demás.
g. Para justificar sus reacciones agresivas, cree que hay personas que merecen que les "den su merecido" para que "aprendan".
h. Es hostil, casi siempre está a la defensiva, listo para estallar fácilmente por cualquier cosa.
i. Mantiene una actitud súper crítica. Casi todo le cae mal, le disgusta, le decepciona, y casi nada le deja satisfecho.
j. Culpa y atribuye a los demás de sus propias reacciones agresivas.
k. Expresa agresividad a través de mensajes en segunda persona (culpando, en lugar de tomar responsabilidad).
l. Frecuentemente interrumpe cuando le hablan.
m. No sabe escuchar, especialmente si no está de acuerdo o es criticado(a).
n. No le importa agredir a cualquier costo.
o. No le importa tener en cuenta las necesidades de los demás.
p. Su lenguaje corporal es agresivo: Mirada fija, voz alta, gestos de amenaza, etc.
q. Muestra frecuentemente: Tensión, descontrol, mala autoimagen y frustración.

r. Su actitud hacia los demás es de enojo, insatisfacción, deseo de venganza, resentimiento, y humillación.
s. Su lenguaje verbal es grotesco, hiriente, sarcástico(a) y burlón(a).
t. Tiene pobre control de sus impulsos.
u. Dice ser "honesto(a)" porque expresa lo que siente y piensa, sin importar herir.
v. No considera los sentimientos de los demás.
w. Produce rechazo en los demás.

**8. Estilo Pasivo-Agresivo**

Este estilo de comunicación interpersonal es una mezcla del estilo pasivo y agresivo, y se caracteriza por lo siguiente:

a. Utiliza la agresividad encubierta.
b. Puede estar molesto(a), pero no lo manifiesta.
c. Niega y reprime sus emociones.
d. Espera que los demás "adivinen" por qué está enojado(a), y se frustra cuando los demás no son capaces de adivinar por qué se siente así.
e. Suele ser venenoso(a), cínico(a), pesimista.
f. Utiliza la "Ley de hielo" cuando está molesto(a) con alguien.
g. Encuentra siempre excusas para sí mismo.
h. Tiene escasa disposición para escuchar la opinión de los demás.
i. De tanto reprimir sus propias emociones y no expresarlas adecuada y oportunamente, llega en algún momento a reaccionar de manera violenta o agresiva.

**9. Estilo Asertivo**

Es aquel estilo de comunicación que es abierto a las opiniones ajenas, dándoles la misma importancia que a las propias. Parte del respeto hacia los demás y hacia sí mismo(a), aceptando que el punto de vista de los demás no tiene por qué coincidir con el propio.

Busca resolver los conflictos, evita las peleas, expresa su punto de vista u opinión de forma directa, abierta y honesta, y sabe escuchar a los demás, aunque no esté de acuerdo. Algunas otras características del estilo asertivo son:

a. Frente a una discusión, no busca ganar, sino llegar a un acuerdo.
b. Suele ser tolerante, propone soluciones posibles sin agresión.
c. Se siente seguro(a) de sí mismo(a), y es honesto(a).
d. Frena pacíficamente a las personas que buscan atacarlo(a) verbal o físicamente.
e. Expresa adecuadamente lo que espera y desea, mostrando mucho respeto, sin demandar ni exigir.

f. Establece claramente sus necesidades.
g. Está dispuesto a comprometerse y ponerse en el lugar de los demás.
h. Debate abiertamente teniendo en cuenta la opinión de los demás.
i. Pide aclaraciones cuando algo no está claro.
j. Sabe decir "NO" cuando quiere decir que decir no.
k. Acepta humildemente sus errores.
l. Se hace responsable de sus propias opiniones, sentimientos y deseos.
m. Hace uso de mensajes en primera persona, para hacerse responsable de sus emociones, opiniones o pensamientos.
n. Es capaz de halagar y recibir halagos de los demás.
o. Muestra gratitud con los demás.
p. No demanda ni da órdenes, sabe pedir favores.
q. Hace todo lo posible para cumplir con sus promesas.
r. No corrige fallas, ayuda a ser mejor a los demás.
s. Su lenguaje corporal es de contacto visual directo y gesto firme.
t. Conoce sus propios derechos, los defiende y no permite que los demás se aprovechen de él o ella.
u. Sabe renunciar a las expectativas de esperar que los demás adivinen sus necesidades o emociones, especialmente si no las ha comunicado adecuada y oportunamente.
v. En lo posible deja saber a los demás lo que desea, piensa o espera.
w. Nunca supone o pretende adivinar lo que la persona necesita, sin antes habérselo preguntado.
x. Si decide decir NO a la petición de ayuda, cuando no puede o no quiere, no se siente culpable.
y. Trata de escuchar los problemas del otro sin dar consejos, a no ser que se lo pidan.
z. Parte de la creencia que todas las personas tienen sus propios derechos.

## LEGÍTIMOS DERECHOS PERSONALES BÁSICOS

1. Derecho a ser tratado(a) con respeto y consideración.
2. Derecho a equivocarse o cometer errores.
3. Derecho a ser escuchado(a) y ser tomado(a) en serio.
4. Derecho a establecer sus propias prioridades.
5. Derecho a cambiar de idea u opinión.
6. Derecho a no saber o no entender algo.
7. Derecho a decir "NO" sin sentirse culpable o egoísta.
8. Derecho a ser el último juez o jueza de sus sentimientos, y aceptarlos como válidos.
9. Derecho a la crítica y a demandar un trato justo.
10. Derecho a intentar un cambio, aunque otros no estén de acuerdo.
11. Derecho a no justificarse ante los demás.
12. Derecho a ser respetado(a), sin importar el origen, etnia, color, sexo, idioma, religión, opinión política, discapacidad física/mental, o cualquier otra condición.
13. Derecho a la vida, a la libertad y a la seguridad personal.
14. Derecho a la libertad de pensamiento, sentimientos, y de conciencia.
15. Derecho a la libertad de opinión y de expresión.
16. Derecho a respetar los derechos de los demás.

# ::: Hoja de Actividad #26 :::

## Comunicación Pasiva, Agresiva y Asertiva

| **Escenario** | Un compañero de trabajo le pide prestado dinero. Le promete que esta vez sí le pagará. Pero usted tiene justo lo necesario para pagar una deuda pendiente. |
|---|---|
| **Respuesta Pasiva** | Sí, está bien, te presto el dinero, ¿cuánto necesitas? |
| **Respuesta Agresiva** | ¡De ninguna manera te prestaría dinero! Estás loco. |
| **Respuesta Asertiva** | Me encantaría prestarte el dinero que necesitas, pero lamentablemente en esta oportunidad me será imposible. |

| **Escenario** | En el trabajo le piden que trabaje unas horas extras, pero ese día tiene planes de salir con su familia. |
|---|---|
| **Respuesta Pasiva** | |
| **Respuesta Agresiva** | |
| **Respuesta Asertiva** | |

Continúa >>>

| | |
|---|---|
| **Escenario** | La comida no está terminada, los niños no están listos y tienen planes de salir pronto a la iglesia; sin embargo, su pareja está entretenido(a) con su celular. |
| **Respuesta Pasiva** | |
| **Respuesta Agresiva** | |
| **Respuesta Asertiva** | |

| | |
|---|---|
| **Escriba su propio escenario** | |
| **Respuesta Pasiva** | |
| **Respuesta Agresiva** | |
| **Respuesta Asertiva** | |

Nombre: ______________________________ Fecha: ____________

# ::: Hoja de Actividad #27 :::

## Comunicación Asertiva

| | |
|---|---|
| **Escenario** | Su pareja le pide ir al cine esta noche, pero usted tienes planes anticipados con sus amistades. |
| **Respuesta Asertiva** | |

| | |
|---|---|
| **Escenario** | Su hijo le pide que lo lleve en este momento a comprar útiles escolares para una tarea, pero usted está entretenido viendo su programa favorito de televisión. |
| **Respuesta Asertiva** | |

| | |
|---|---|
| **Escenario** | Usted está apurado para salir a trabajar y su pareja le prepara un sándwich y le pone mayonesa. Él(ella) se olvidó que la mayonesa no le gusta. |
| **Respuesta Asertiva** | |

| | |
|---|---|
| **Escenario** | Su pareja le acusa injustamente que nunca está allí cuando más le necesita. |
| **Respuesta Asertiva** | |

| | |
|---|---|
| **Escenario** | Su pareja le reclama porque se siente frustrado(a) con las tareas domésticas, y se queja que a usted no le importa compartir responsabilidades. |
| **Respuesta Asertiva** | |

Nombre: ______________________________________ Fecha: ____________

Esta página fue dejada en blanco intencionalmente.

# ::: Hoja de Actividad #28 :::

## Comunicación Interpersonal

1. Básicamente, ¿Cuál ha sido su estilo de comunicación interpersonal (pasivo, agresivo, pasivo-agresivo, o asertivo)? Explique:

_______________________________________________

_______________________________________________

_______________________________________________

_______________________________________________

_______________________________________________

2. Si su estilo ha sido agresivo, pasivo o pasivo-agresivo, ¿De qué manera este estilo de comunicación afectó su relación de pareja o relaciones de pareja anteriores? Explique:

_______________________________________________

_______________________________________________

_______________________________________________

_______________________________________________

_______________________________________________

3. ¿De qué manera este tema le ayudará con su Plan Personal de Tratamiento?

_______________________________________________

_______________________________________________

_______________________________________________

_______________________________________________

_______________________________________________

Nombre: ______________________________ Fecha: ____________

Esta página fue dejada en blanco intencionalmente.

# ::: Sesión 22 :::

## Impacto de la Violencia Familiar en los Hijos

### 1. Objetivos

a. Aprender acerca de los efectos negativos de exponer a los hijos a situaciones de violencia doméstica.
b. Evitar exponer a los hijos a ambientes de violencia doméstica y alejarlos de escenarios altamente estresantes o violentos.
c. Explorar posibles problemas relacionados con el historial personal de abuso familiar.

### 2. ¿Cuáles serían los posibles impactos de la violencia familiar en los hijos?

a. Diversos estudios han demostrado que los ambientes en las familias con violencia son por lo general más inestables, inconsistentes, impredecibles, caóticos, y disfuncionales.
b. En estas familias, los niveles de estrés y depresión son muy altos, y los hijos no pueden predecir si sus necesidades emocionales serán satisfechas por sus padres.
c. Los padres de estas familias comúnmente tienden a negar o minimizar la violencia en el hogar.
d. Los padres de familias violentas manipulan a sus hijos para que lo que pasa en casa no lo comenten con nadie en la escuela o con otras personas fuera de la familia.
e. También está demostrado que cuando los niños son testigos de violencia doméstica entre los padres, este podría ser un factor de riesgo para continuar con los mismos patrones de comportamiento en la próxima generación (Foshee et al., 2011), ya que alentaría la tolerancia a la violencia debido al proceso de aprendizaje que tiene lugar durante la infancia (Expósito, 2011).

f. Otros estudios indican que la exposición a la violencia en la infancia conlleva a más problemas conductuales y emocionales que los menores que no han estado expuestos a este tipo de violencia (Alcántara et al., 2013; Rivett, Sternberg y col., 2006).
g. En los Estados Unidos, seis de cada 10 personas en la población general han estado expuestas a experiencias infantiles adversas como: negligencia, abuso físico, psicológico o sexual, y violencia doméstica; lo que podría conllevar a graves problemas de salud física o psicológica para quienes los experimentaron (Brown et al., 2015).

**3. Algunas características en las familias violentas:**

a. Los padres son demasiado consentidores o duros; y muchas veces tienen dificultades para disciplinar con el ejemplo.
b. Los padres tienden a usar el castigo físico con sus hijos.
c. Los padres no ven el punto de vista de sus hijos, dando lugar a manejar sólo el punto de vista autoritario y abusivo como adultos.
d. Los padres no enseñan a sus hijos habilidades de control de emociones y ni cómo evitar comportamientos agresivos con otros.
e. Los padres promueven el comportamiento agresivo de sus hijos, con el pretexto que "no se dejen".
f. Difícilmente los padres se dan cuenta cuando sus hijos están actuando de manera violenta fuera del hogar.
g. Los padres mantienen ideas tradicionales y rígidas sobre la crianza de los hijos y los roles sexuales.

**4. Efectos de las familias violentas sobre los hijos:**

a. Los hijos tienden a culparse a sí mismos por la violencia en el hogar. Es posible que hayan escuchado incidentes violentos entre los padres y que piensen que han sido como resultado de algo que los hijos(as) hicieron o no.
b. Suelen tener pesadillas, problemas para dormir, se orinan la cama (enuresis).
c. Bajan su rendimiento académico en las escuelas.
d. Los hijos pueden llegar a aprender que el comportamiento agresivo es el camino para conseguir satisfacer sus necesidades emocionales y resolver conflictos.
e. Los hijos pueden llegar a creer que la violencia es una forma de manejar los sentimientos de enojo o frustración.
f. Los hijos también pueden aprender que está bien dejar que alguien los trate de una manera que les haga daño físico o emocional, especialmente si son mujeres.
g. Los hijos pueden repetir el maltrato en sus juegos y relaciones con los demás.

Al llegar los niños(as) a la adolescencia, la situación puede empeorar aún más. El adolescente que ha vivido o ha estado expuesto a situaciones de violencia en casa, puede comenzar a autolesionarse, recurrir al alcohol o las drogas, tener relaciones sexuales inapropiadas con el único objetivo de obtener afecto, llegar a sufrir depresión, tener baja autoestima o a sufrir diferentes problemas de salud mental. Además, puede llegar a convertirse en víctima o incluso en maltratador, y comportarse de manera ofensiva o agresiva con los demás, tanto dentro de casa como fuera de ella.

# ::: Hoja de Actividad #29 :::

## Impacto de la Violencia Familiar en los Hijos

1. Cuando usted era niño(a), ¿fue testigo de violencia doméstica entre sus padres o adultos con quienes vivía? Si la respuesta es SÍ, ¿Cómo cree que esto pudo haberle afectado o impactado en su vida personal?

______________________________________________

______________________________________________

______________________________________________

______________________________________________

2. ¿Cómo cree que puede afectar a un(a) menor estar expuesto a actos de violencia doméstica entre los padres?

______________________________________________

______________________________________________

______________________________________________

______________________________________________

3. ¿Alguna vez sus hijos o hijastros fueron testigos de alguna discusión o pelea entre usted y su pareja o expareja? Si la respuesta es SÍ, ¿Cómo cree que pudo haberles impactado o afectado en sus vidas?

______________________________________________

______________________________________________

______________________________________________

______________________________________________

Nota: Si usted ha sido testigo de violencia doméstica cuando era niño o niña, escriba su autobiografía y de ser posible compártala con su terapeuta y miembros del grupo en la próxima sesión.

Nombre: ______________________________ Fecha: ______________

Esta página fue dejada en blanco intencionalmente.

# ::: Sesión 23 :::

## Sexualidad en la Pareja

### 1. Objetivos

a. Reconocer la importancia de mantener una buena relación sexual de pareja.
b. Crear un espacio de análisis para el mejoramiento de una relación sexual de pareja.
c. Mantener relaciones sexuales abiertas a las necesidades y comodidad de la pareja.
d. Promover los conocimientos básicos en materia de sexualidad.

### 2. ¿Qué es sexualidad?

La sexualidad es un concepto amplio que va más allá de la reproducción y la genitalidad. La sexualidad abarca componentes biológicos, emocionales, espirituales, culturales, sociales y actitudinales. La sexualidad humana es un componente integral que está relacionado con la afectividad, las emociones y el deseo.

### 3. Algunos aspectos importantes que debemos saber sobre la sexualidad en la pareja

a. Muchas personas creen que la vida sexual en una pareja se limita a la parte genital. Si bien la genitalidad es importante en la sexualidad de una pareja, eso no lo es todo.
b. Para muchas parejas hablar de la sexualidad podría resultar difícil e incómodo, pero aun así siempre se presentará la oportunidad de hablar o abordar el tema.
c. La forma más fácil de enfrentar el tema de sexualidad en la pareja es hablando y abordando con naturalidad este tema y mantener abierto el canal de comunicación.

d. Una de las principales dificultades a la hora de hablar sobre sexualidad entre las parejas, es que muchas veces no se sabe de qué hablar o cómo abordar el tema. Mayormente no conocen el tema a profundidad, tienen demasiados prejuicios, o creen que pueden herir la susceptibilidad de su pareja si les preguntan acerca de la sexualidad.
e. La falta de confianza en la pareja podría llevarlos a evitar hablar del tema, o simplemente no se sienten cómodos hablando de esto, prefiriendo callar y soportar situaciones desagradables y decepcionantes, llegando a deteriorar otras áreas de la relación.
f. Cuando la pareja integra cada uno de los componentes de la sexualidad por igual, crean la combinación ideal que se van a ver reflejados en el aspecto práctico. Si la relación carece de estos componentes y sólo la limitan a la genitalidad, se llegará a la monotonía y consecuentemente al aburrimiento y así a la pérdida de interés por la pareja.
g. La sexualidad es un componente fundamental en las relaciones armoniosas de las parejas, y las dificultades en esta área pueden ser la razón de una ruptura. El componente sexual puede darse sin que exista una relación de pareja, pero la sexualidad no puede estar ausente en una relación de pareja saludable.
h. La sexualidad también es importante como parte del desarrollo de cada miembro de la pareja, y cuando ésta se da en el marco de una relación saludable y positiva, ofrece a la persona un clima de seguridad, confianza e intimidad que le permite expresarse de manera natural, favoreciendo así la autoestima y estabilidad emocional.

### 4. ¿Qué tan importante es el papel de los órganos de los sentidos en la intimidad de la pareja?

a. Los órganos de los sentidos juegan un rol muy importante en la sexualidad y el placer de la pareja. Una mirada sugestiva, un susurro al oído, el toque sensible y placentero en determinadas zonas del cuerpo de la pareja, pueden decir más que mil palabras. La utilización de los órganos de los sentidos es fundamental e inagotable en la exploración de las múltiples posibilidades que hay para una mejor sexualidad en la pareja.
b. Los hombres, en comparación con las mujeres, tienden a excitarse más a través de la vista, de allí que ellas deben tener en cuenta este componente a la hora de llamar la atención sensual de su pareja. El olor juega un rol importante al momento de dar y recibir placer, al igual que el tacto, los gemidos o susurros, son fundamentales durante una relación sexual.
c. Como podemos ver, a través de la sexualidad utilizamos nuestros órganos de los sentidos para comunicarnos con la pareja, pero también debemos utilizar nuestra motivación e imaginación para hacer que esta experiencia sea mucho más placentera.

### 5. ¿Qué pasa si las relaciones sexuales de pareja terminan siendo rutinarias?

Muchas veces con el tiempo, las relaciones sexuales de pareja entran en periodos críticos, y pueden terminar siendo cada vez menos gratificantes, convirtiéndose en rutinarias y poniendo en riesgo la relación. Aunque cada relación de pareja es única, se debe estar preparado para enfrentar, analizar y hablar de la situación.

Si usted considera que tiene dificultades sexuales con su pareja, busque ayuda con un profesional o investigue por su cuenta el cómo mejorar la relación sexual con su pareja.

## 6. Respuesta Sexual Humana

La respuesta sexual es la forma como los hombres y mujeres responden ante los estímulos sexuales que dan lugar al deseo sexual y subsecuentemente a una serie de etapas de cambios psicológicos y fisiológicos. Las etapas en la Respuesta Sexual Humana son: deseo, excitación, meseta, orgasmo y resolución.

### a. Deseo

Esta etapa ocurre básicamente a nivel mental y no tiene una reacción física evidente. El deseo sexual se produce cuando el cerebro interpreta determinado estímulo como sensual y sexual. Ese estímulo puede ser muy variado según el individuo, e incluso en la misma persona dependiendo de las circunstancias. El deseo puede ser producido por estímulos externos o internos, como imágenes, personas, videos, fantasías sexuales, recuerdos eróticos, experiencias íntimas vividas, etc. De continuar alimentando el deseo sexual, éste dará lugar a una serie de respuestas fisiológicas en el cuerpo, con la sensación de la búsqueda de la satisfacción sexual, ya sea a través del autoerotismo (masturbación) o la intimidad sexual con una persona.

### b. Excitación

Se produce como consecuencia del deseo y la continua estimulación psíquica y física. Si el deseo es intenso, aparece la excitación de manera inmediata. Si el nivel del deseo no es intenso, puede quedar allí, y no producir ningún cambio en el cuerpo de la persona, es decir, no hay excitación. De producirse la excitación, ésta es automática, es decir, es independiente de que haya o no penetración. La excitación se caracteriza por un creciente aumento de las sensaciones placenteras, con cambios significativos en el cuerpo del hombre y de la mujer. Los principales cambios fisiológicos son:

- √ Tension muscular
- √ Aumento del ritmo cardiaco, presión sanguínea, temperatura corporal, etc.
- √ Enrojecimiento de la piel
- √ Erección de los pezones
- √ Erección del pene
- √ Aumento del tamaño de los testículos
- √ Los labios menores y mayores de la vulva se hinchan
- √ Lubricación y extensión vaginal

### c. Meseta

Si la excitación continúa, y los estímulos sexuales siguen aumentando en intensidad, entonces en esta fase se producen una serie de fenómenos biológicos y cambios físicos como la tensión de muchos músculos que preparan tanto el cuerpo del hombre y de la mujer para las últimas fases de la respuesta sexual: el orgasmo y la resolución.

### d. Orgasmo

Si la excitación sexual continúa, aquí es cuando se alcanza su máxima intensidad, llegando a lo que se conoce como el orgasmo. En esta fase aparece una sensación de no vuelta atrás, y de la pérdida de control voluntario de los músculos que rodean los genitales, dando lugar a la liberación de toda la tensión tanto física como psicológica que se inició con el deseo sexual. Entre las principales características del hombre y la mujer en esta fase tenemos:

**En la mujer:**

√ Contracciones del útero, la vagina, y el esfínter rectal (ano)

**En el hombre:**

√ Contracciones del pene, uretra y esfínter rectal (ano)

√ Contracciones musculares en la base del pene que dan lugar a la eyaculación

**e. Resolución**

Esta fase se caracteriza porque los cambios fisiológicos y anatómicos vuelven a la normalidad, y da lugar a la relajación muscular y mental.

**En el hombre:**

√ Flacidez del pene

√ El escroto adelgaza y recupera su tamaño

√ Descenso de los testículos

**En la mujer:**

En el caso de la mujer, puede saltarse este período hacia la continuación de otro o más orgasmos. De lo contrario, ocurre lo siguiente:

√ El útero y la vagina vuelve a su posición de reposo

√ El clítoris vuelve a su tamaño inicial

Cada una de las fases de la respuesta sexual deseo-excitación-meseta-orgasmo-resolución, para un hombre y para una mujer se pueden experimentan de forma diferente.

**Esquema del Ciclo de Respuesta Sexual Humana**

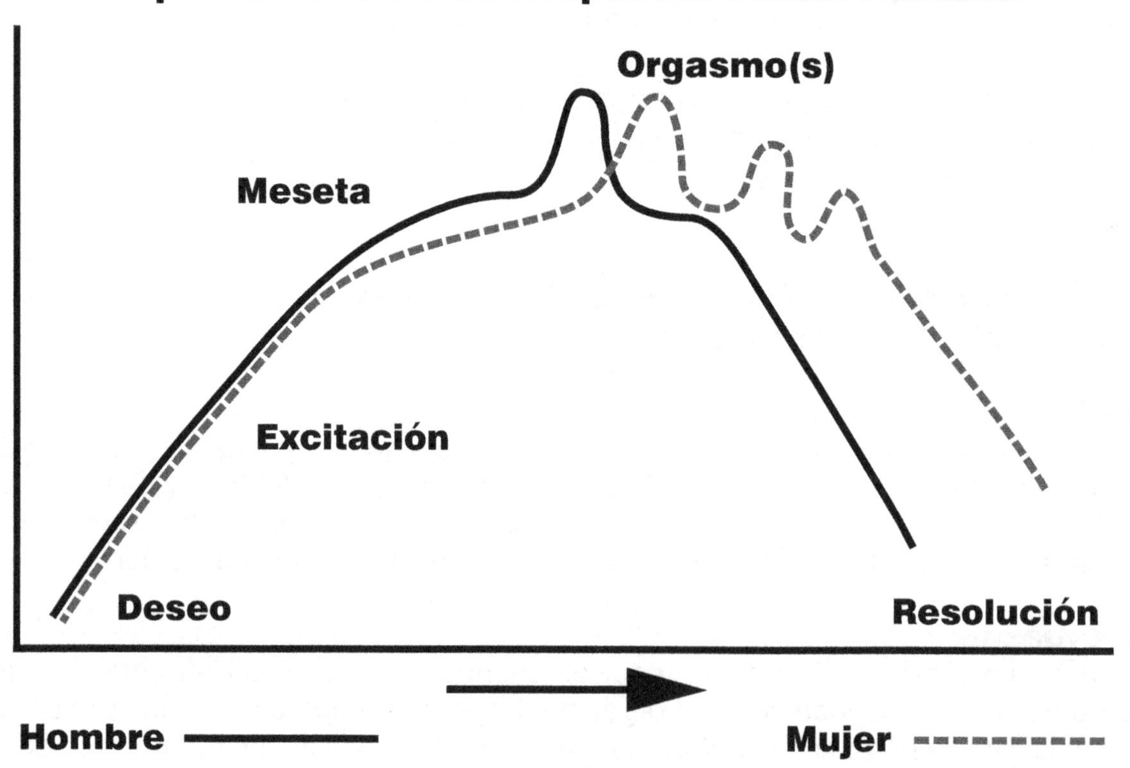

# ::: Hoja de Actividad #30 :::

## Sexualidad en la Pareja

Identifique cada una de las partes de los órganos genitales femeninos / masculinos y coloque la letra al lado del nombre correspondiente, en los siguientes gráficos.

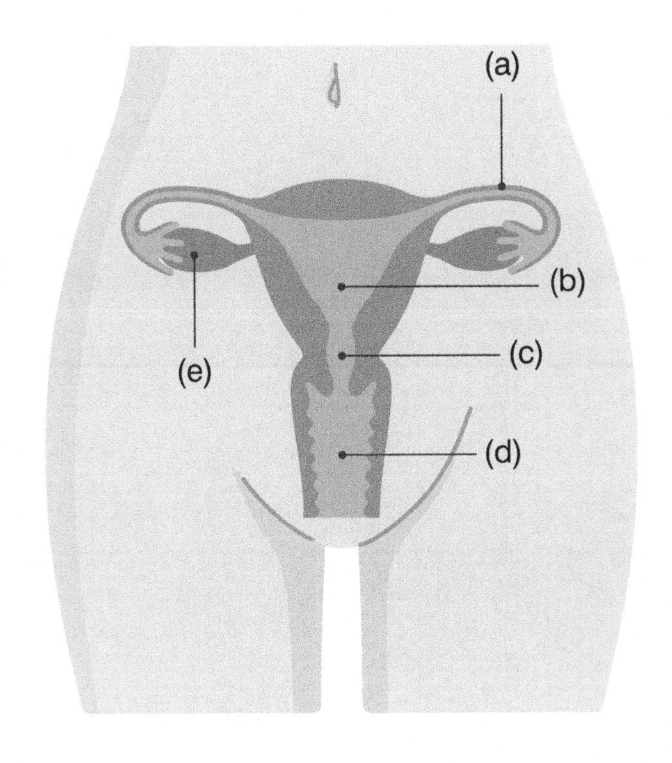


**Órganos Genitales Internos Femeninos:**

( ) Útero
( ) Trompa de Falopio
( ) Ovario
( ) Vagina
( ) Cérvix (Cuello del Útero)

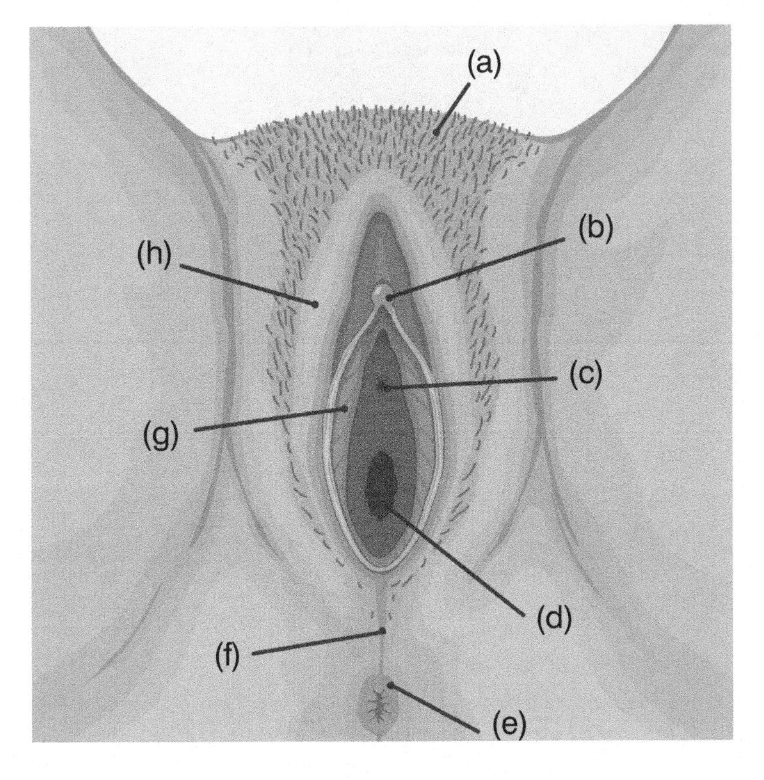


**Órganos Genitales Externos Femeninos (Vulva):**

( ) Labios Menores
( ) Ano
( ) Clítoris
( ) Uretra
( ) Labios Mayores
( ) Periné
( ) Entrada Vaginal
( ) Monte de Venus

**Órganos Genitales Masculinos (Externos e Internos):**

( ) Pene
( ) Próstata
( ) Testículo
( ) Vejiga
( ) Escroto
( ) Vesícula Seminal
( ) Uretra
( ) Ano
( ) Conducto Deferente
( ) Glande

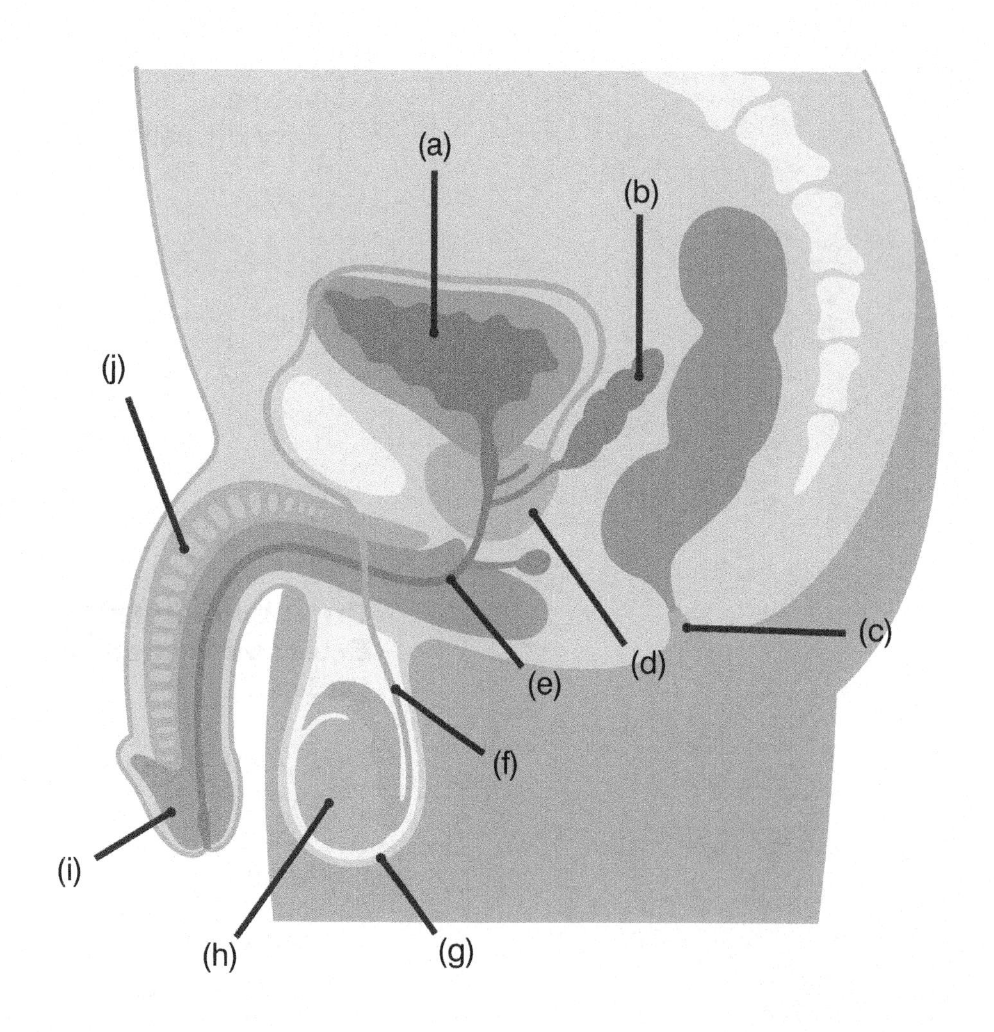


Nombre: ______________________________ Fecha: ____________

# ::: Sesión 24 :::

## Violencia Sexual en la Pareja

### 1. Objetivos

a. Entender el impacto de la violencia sexual infligida por la pareja.
b. Desterrar las falsas creencias que justifican el abuso sexual hacia la pareja.
c. Mantener relaciones sexuales libres de imposición, manipulación o chantaje.

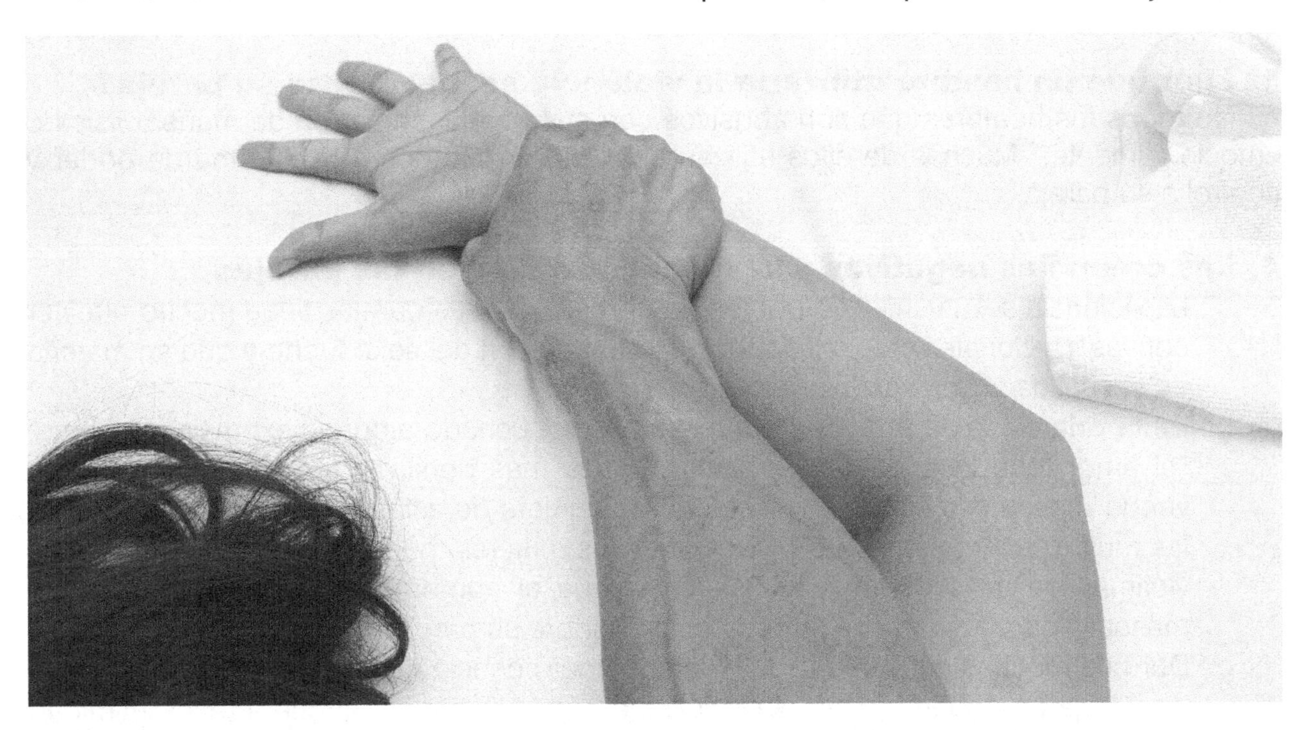

Una de las áreas de la violencia doméstica poco entendida es la agresión sexual en el contexto de una relación de pareja o relaciones conyugales. El que una persona haya mantenido intimidad sexual con su consentimiento en el pasado, no significa que ese consentimiento es irrenunciable o indefinido.

Según el Centro Nacional de Víctimas (National Victim Center), en Estados Unidos, el 9% de las mujeres que son agredidas sexualmente, son víctimas de sus parejas íntimas, es decir la agresión sexual cometida por una pareja es más común de lo que muchos piensan.

De acuerdo con la Organización Mundial de la Salud (OMS, 2012), una de cada cinco mujeres, han sufrido violación o abuso sexual por parte de una pareja, y esto es más común en países machistas con profundos mitos y creencias que justifican el abuso contra la mujer, y donde los hombres todavía creen que las mujeres deben de estar a su "disposición" para el disfrute y goce sexual.

La mayoría de los estados en Estados Unidos han ampliado el concepto de asalto sexual en las leyes para cubrir las agresiones sexuales perpetradas por sus parejas íntimas. En la mayoría de los casos han eliminado la excepción específica para agresiones sexuales conyugales que existía en muchas leyes, así mismo se ha eliminado el matrimonio como defensa ante el cargo de agresión sexual y prohíbe cualquier tipo de agresión sexual contra un cónyuge.

**2. ¿Qué es la violencia sexual en la pareja?**

La violencia sexual en la pareja es un acto que enmarca agresiones verbales con contenidos sexuales, el hostigamiento, la manipulación, el chantaje, y hasta en su extremo más grave: la violación. Cualquiera que sea el comportamiento de abuso sexual, estos hacen daño, lastiman, y humillan a la mujer, que son las principales víctimas de las agresiones sexuales.

**3. ¿Por qué un hombre utilizaría la violencia sexual contra su pareja?**

No todos los hombres que son abusivos con sus parejas lo hacen de manera física o emocionalmente. Muchas de ellos utilizan el abuso sexual como una forma de poder y control a su pareja.

**4. Las creencias negativas y la violencia sexual en las parejas**

a. La violencia sexual infligida por los hombres hacia sus parejas tiene mucho que ver con las irracionales creencias que los hombres son del sexo fuerte y que en materia de sexualidad ellos son los "expertos".

b. En la vida diaria es probable que hayamos escuchado algunas expresiones como: "el amor todo lo aguanta", "calladita te ves más bonita", "la que no enseña, no vende", "para eso eres mi mujer", etc. Cualquiera de estas expresiones son una de las múltiples formas en que se violenta a las mujeres, pues son ellas las principales víctimas de una cultura machista en la que el hombre cree tener privilegios de masculinidad, además de poder y control sobre su pareja.

c. Durante muchos años se mantuvo la absurda creencia que dentro de las relaciones de pareja no debería existir la posibilidad que la mujer se niegue a tener intimidad sexual. Como sabemos, a las mujeres se les había hecho creer que era normal tener relaciones sexuales con sus parejas, aunque muchas veces no quisieran, pues era parte de sus obligaciones con las que "tenían que cumplir" para complacer o satisfacer a sus parejas.

d. Es común que las mujeres violentadas, agredidas y abusadas sexualmente por sus parejas íntimas, muchas veces no se dan por enteradas o simplemente callan, pues tradicionalmente se han tolerado diversas formas de violencia y manipulación de parte de los hombres, especialmente cuando se trata de justificar los abusos sexuales en la pareja como parte de las relaciones de "mutuo afecto".

**5. ¿Es considerado un delito la violencia sexual en la pareja?**

Hoy en día la mayoría de los países del mundo condenan cualquier forma de violencia sexual contra la pareja, porque esto constituye un delito y es penado por la ley. También, sabemos que cualquier forma de agresión sexual puede causar a sus víctimas grandes daños o secuelas físicas y psicológicas, ya sea temporales o permanentes.

**6. ¿Puede haber violación dentro de una relación de pareja (casados legalmente o no)?**

En muchos estados de los Estados Unidos, la agresión sexual que conduce a relaciones sexuales no deseadas se considera violación, no importa si es dentro del contexto de una relación de pareja casados por la ley, y las penalidades pueden variar dependiendo el caso. Por ejemplo, en el estado de Georgia una agresión sexual agravada que consiste en "penetrar intencionalmente con un objeto extraño el órgano sexual o el ano de otra persona sin su consentimiento". La pena podría ser: cadena perpetua o 25 años de prisión seguida de libertad condicional de por vida y registro obligatorio como ofensor sexual.

Muchas mujeres han tenido que ceder al chantaje o manipulación de su pareja, y tener relaciones sexuales sin ganas o sin su consentimiento, y aunque se lo dejaron saber oportunamente a sus parejas, a ellos no les importó, insistieron, y simplemente continuaron hasta lograr sus cometidos, ¡Y eso también es violación!

**7. ¿Tiene derecho la pareja a negarse a estar íntimamente?**

Nadie es propiedad de nadie, y cada miembro de la pareja debe sentirse con la libertad de decir "NO" cuando no quiere estar íntimamente con su pareja, o si no está de acuerdo simplemente a las peticiones sexuales de su pareja.

Las relaciones de pareja sanas están basadas en el amor, respeto y comunicación, dejando de lado cualquier posibilidad de maltrato o abuso. Cuando hay amor, no hay maltrato, no hay humillación, no hay manipulación, y no se obliga a hacer algo que la pareja no quiera, pues siempre debe haber respeto a la voluntad de la pareja.

Esta página fue dejada en blanco intencionalmente.

# ::: Hoja de Actividad #31 :::

## Violencia Sexual en la Pareja
## (Encuesta sólo para Hombres)

Sea lo más honesto posible en responder y reconocer algún o algunos de los comportamientos de abuso sexual que haya realizado durante su historial de relación o relaciones de pareja:

1. He insistido en estar íntimamente con mi pareja (o expareja) a pesar de que ella no quería estar en la intimidad (No respeté su "no", ni siquiera la escuché y simplemente seguí hasta cumplir con mi objetivo).
   □ Sí □ No □ Posiblemente

2. He insistido con tocamientos sexuales que no le gustaban.
   □ Sí □ No □ Posiblemente

3. He obligado o manipulado hacer algún acto o postura sexual que ella no quería o no estaba de acuerdo.
   □ Sí □ No □ Posiblemente

4. La he obligado que hiciera alguna actividad sexual que ella no quería hacer o que le parecía humillante.
   □ Sí □ No □ Posiblemente

5. Me he negado a usar condón, (porque "no se siente igual") y he seguido hasta terminar con mi objetivo.
   □ Sí □ No □ Posiblemente

6. La he manipulado para tener relaciones sexuales a través de súplicas, ruegos, insistencias, etc.
   □ Sí □ No □ Posiblemente

7. A pesar de que ella no ha querido y no me dio su consentimiento, he estado íntimamente con ella, estando yo, ella o ambos, bajo la influencia del alcohol/drogas.
   □ Sí □ No □ Posiblemente

8. La he despertado, mientras dormía, para estar con ella íntimamente, sabiendo que a ella le molestaba.
   □ Sí □ No □ Posiblemente

9. He presionado a mi pareja o expareja a ver pornografía.
   □ Sí □ No □ Posiblemente

10. La he comparado sexualmente con otras mujeres, delante de ella.
    □ Sí □ No □ Posiblemente

11. Sólo para hacerla sentir mal, la he insultado y humillado sexualmente diciéndole nombres denigrantes, como "Puta", "Perra", "Piruja", etc.
□ Sí □ No □ Posiblemente

12. Le he dejado marcas visibles (chupetones, moretones, "hickeys") en el cuerpo, aun cuando ella no ha querido o lo ha rechazado.
□ Sí □ No □ Posiblemente

13. La he grabado durante la intimidad o tomado fotos del cuerpo desnudo sin el consentimiento o conocimiento de ella.
□ Sí □ No □ Posiblemente

14. He penetrado intencionalmente y sin su consentimiento con un objeto extraño el órgano sexual o el ano de mi pareja o expareja.
□ Sí □ No □ Posiblemente

Nota: De ser posible, comparta sus respuestas con los miembros del grupo.

Nombre: ______________________________ Fecha: ____________

# ::: Hoja de Actividad #32 :::

## Violencia Sexual en la Pareja
## (Encuesta sólo para Mujeres)

Sea lo más honesta posible en responder y reconocer algún o algunos de los comportamientos de abuso sexual que le hayan realizado durante su historial de relación o relaciones de pareja:

1. Me han insistido en estar íntimamente a pesar de que no quería (No respetaron mi "no", ni siquiera me escucharon y simplemente siguieron hasta cumplir con su objetivo).
   □ Sí □ No □ Posiblemente

2. Me he sentido presionada a tener que tolerar tocamientos sexuales que no me gustaban o desagradaban.
   □ Sí □ No □ Posiblemente

3. Me han obligado o manipulado a hacer algún acto o postura sexual que no quería o no estaba de acuerdo.
   □ Sí □ No □ Posiblemente

4. Me han obligado que hiciera alguna actividad sexual que no quería hacer o que me parecía humillante.
   □ Sí □ No □ Posiblemente

5. Mi pareja o expareja se ha negado a usar condón, (porque "no se siente igual") y ha seguido hasta terminar con su objetivo.
   □ Sí □ No □ Posiblemente

6. Me he sentido chantajeada para tener relaciones sexuales a través de súplicas, ruegos, insistencias, etc.
   □ Sí □ No □ Posiblemente

7. A pesar de que no he querido o no di mi consentimiento, mi pareja o expareja, ha estado íntimamente conmigo, cuando uno de los dos (o ambos), ha (hemos) estado bajo la influencia del alcohol/drogas.
   □ Sí □ No □ Posiblemente

8. Me han despertado, mientras dormía, para estar conmigo íntimamente, sabiendo él que a mí me molestaba.
   □ Sí □ No □ Posiblemente

9. Me han presionado a ver pornografía.
   □ Sí □ No □ Posiblemente

10. Me han comparado sexualmente con otras mujeres, delante mío.
    □ Sí □ No □ Posiblemente

11. Sólo para hacerme sentir mal, me han insultado y humillado sexualmente diciéndome nombres denigrantes, como “Puta”, “Perra”, “Piruja”, etc.
☐ Sí ☐ No ☐ Posiblemente

12. Me han dejado marcas visibles (chupetones, moretones, “hickeys”) en mi cuerpo, aun cuando no he querido o he rechazado.
☐ Sí ☐ No ☐ Posiblemente

13. Me han grabado o tomado fotos de mi cuerpo desnudo o de actos sexuales sin mi consentimiento o conocimiento.
☐ Sí ☐ No ☐ Posiblemente

14. Me han penetrado intencionalmente y sin mi consentimiento con un objeto extraño en mi órgano sexual o ano.
☐ Sí ☐ Nunca ☐ Posiblemente

Nota: De ser posible, comparta sus respuestas con las integrantes de su grupo.

Nombre: ______________________________________________ Fecha: ____________

# ::: Sesión 25 :::

## El Estrés: Definición, Síntomas y su Origen

El estrés es uno de los problemas de salud con más alto porcentaje de lo que se puede imaginar. Se estima que aproximadamente el 30% de los problemas mentales están estrechamente relacionados con el estrés. Asimismo, se sabe a ciencia cierta que el estrés no sólo puede agravar, sino que también desencadenar otros problemas de salud mental y físico.

De acuerdo con un estudio llevado a cabo en los Estados Unidos, se determinó que el estrés podría ser el principal problema de salud, y se estima que entre el 75 y el 90 por ciento de la población americana acuden al médico a raíz de determinados problemas que guardan relación con el estrés.

### 1. ¿Qué es el estrés?

El estrés es una reacción química del cuerpo ante cualquier cambio que requiera un ajuste o respuesta. Si bien el estrés es normal y es parte de la vida de las personas, éste puede convertirse en un problema si no se maneja de manera adecuada y oportuna; y puede llevarlo(a) a cualquier situación que lo(a) haga sentir frustrado(a), furioso(a), desesperado(a), y hasta reaccionar de una manera agresiva o violenta.

**2. ¿Cuáles son los tipos de estrés?**
Hay dos tipos principales de estrés: Agudo y Crónico.

a. **Estrés agudo:** Este es el estrés a corto plazo que desaparece rápidamente y puede sentirse cuando el cuerpo reacciona en situaciones de riesgo o peligro. Por ejemplo, si va manejando y repentinamente presiona los frenos para evitar un accidente, o cuando tiene una discusión fuerte con alguien y se pone a la defensiva. Gracias al estrés, que es un sistema de alarma, puede controlar ciertas situaciones de riesgo o peligro, y tomar decisiones oportunas.

b. **Estrés crónico:** Este es el estrés más riesgoso y peligroso, pues puede llegar a causar problemas serios de salud física o mental. Este estrés dura mucho tiempo (semanas, meses, años), y puede sentirlo cuando tiene problemas económicos que no ha resuelto, problemas serios de salud, problemas en su relación de pareja que llevan mucho tiempo, etc.

Tenga en cuenta que la sensación de riesgo, amenaza continua y prolongada, la cual no es el tipo de estrés agudo, puede terminar en estrés crónico, con un costo real en su cuerpo y mente.

**3. Síntomas del estrés**
El estrés ejerce una gran influencia en la vida diaria de las personas. Muchos de los signos y síntomas de estrés pueden ser visibles y otros son más difíciles de identificar. Los signos y síntomas del estrés pueden intensificarse dependiendo del tiempo, la intensidad y la frecuencia a la situación o situaciones a las que está sometido(a). Reconocer los signos y síntomas del estrés es un factor muy importante para el manejo del estrés y es esencial para mantener el cuerpo y la mente en buena salud.

Los signos y síntomas del estrés se dividen en 3 categorías principales: síntomas físicos, psicológicos y mentales (cognitivos).

**a. Síntomas físicos del estrés:**

√ Cansancio permanente
√ Dolores y malestares físicos
√ Debilitación del sistema inmunológico
√ Problemas de estómago
√ Problemas cardiovasculares: presión sanguínea alta, palpitaciones cardíacas, paro cardíaco, etc.
√ Trastornos del sueño: Problemas para conciliar el sueño, insomnio
√ Trastornos de la alimentación: comer menos, o comer más
√ Adicciones: cigarrillos, alcohol, drogas, etc.

**b. Síntomas psicológicos del estrés:**

√ Sensación de tensión permanente
√ Problemas de concentración
√ Irritabilidad, agresividad
√ Depresión, ansiedad
√ Pérdida del placer de la vida
√ Baja autoestima
√ Aislamiento social

### c. Síntomas mentales (cognitivos):

√ Cansancio mental
√ Problemas de memoria
√ Preocupación excesiva
√ Indecisión
√ Ignorar o minimizar aspectos positivos de una situación
√ Creer que las cosas sólo son blancas o negras, y que no existe un término medio
√ Sobregeneralización de las situaciones
√ Visión catastrófica de las situaciones (esperar lo peor, y sufrir por adelantado)
√ Tomarse las cosas de manera personal
√ Sentirse víctima del destino (sentirse controlado o no poder tomar control de la situación)
√ Culpabilidad (creer que los demás son los responsables de su dolor emocional o estrés)
√ Falsedad de cambio (espera cambiar a los demás para bajar sus niveles de estrés)

## 4. Origen del Estrés

Aquí las principales fuentes relacionadas al origen del estrés:

a. **Social o Legal:** Es el que se produce ante situaciones de crisis social, legal o de inmigración.
b. **Laboral:** Cuando hay exceso de trabajo o no se tiene trabajo, compañeros de trabajo difíciles, trato injusto en el lugar de trabajo, falta de reconocimiento profesional, mala remuneración, etc.
c. **Fisiológico:** El que se produce por abuso al organismo y está relacionado con las comidas, el alcohol, el tabaco, las drogas, etc.
d. **Hormonal:** Relacionado con la modificación o alteraciones de las funciones hormonales, como: los ciclos menstruales, menopausia, andropausia, etc.
e. **Psicológico:** Cuando las respuestas emocionales son intensas, como: angustia, depresión, ansiedad, enojo, irritabilidad, cambio de estado emocional brusco, etc.

## 5. Fases del Estrés

Las fases del estrés son tres: la fase de alarma, la fase de resistencia y la fase de agotamiento.

a. **Fase 1: Alarma.** En esta fase el cuerpo procesa e interpreta la información cuando se encuentra ante una situación que le provoca estrés, y comienzan los primeros cambios fisiológicos, emocionales y mentales que preparan al organismo para actuar y afrontar la situación, bien sea a través de una reacción de "lucha", "huida" o de "conmoción". Es decir, el cuerpo envía una serie de señales para la acción de combatir una situación que se percibe como amenazante.
b. **Fase 2: Resistencia.** Si el estímulo o estímulos estresantes siguen presentes, el organismo entra a la etapa de resistencia, tratando de luchar y recuperarse para volver a su balance inicial. En esta lucha, el cuerpo se sigue debilitando, al mismo tiempo que va gastando reservas y recursos necesarios para combatir el estrés. A este punto le puede ser difícil al organismo empezar a reparar posibles daños del estrés.

c. **Fase 3: Agotamiento.** Si a este punto no se ha hecho nada para combatir el nivel de exposición prolongada al estrés, las reservas de energía del cuerpo se agotan y puede llevar a situaciones extremas de debilitamiento, quedando expuesto el organismo a contraer enfermedades físicas y mentales.

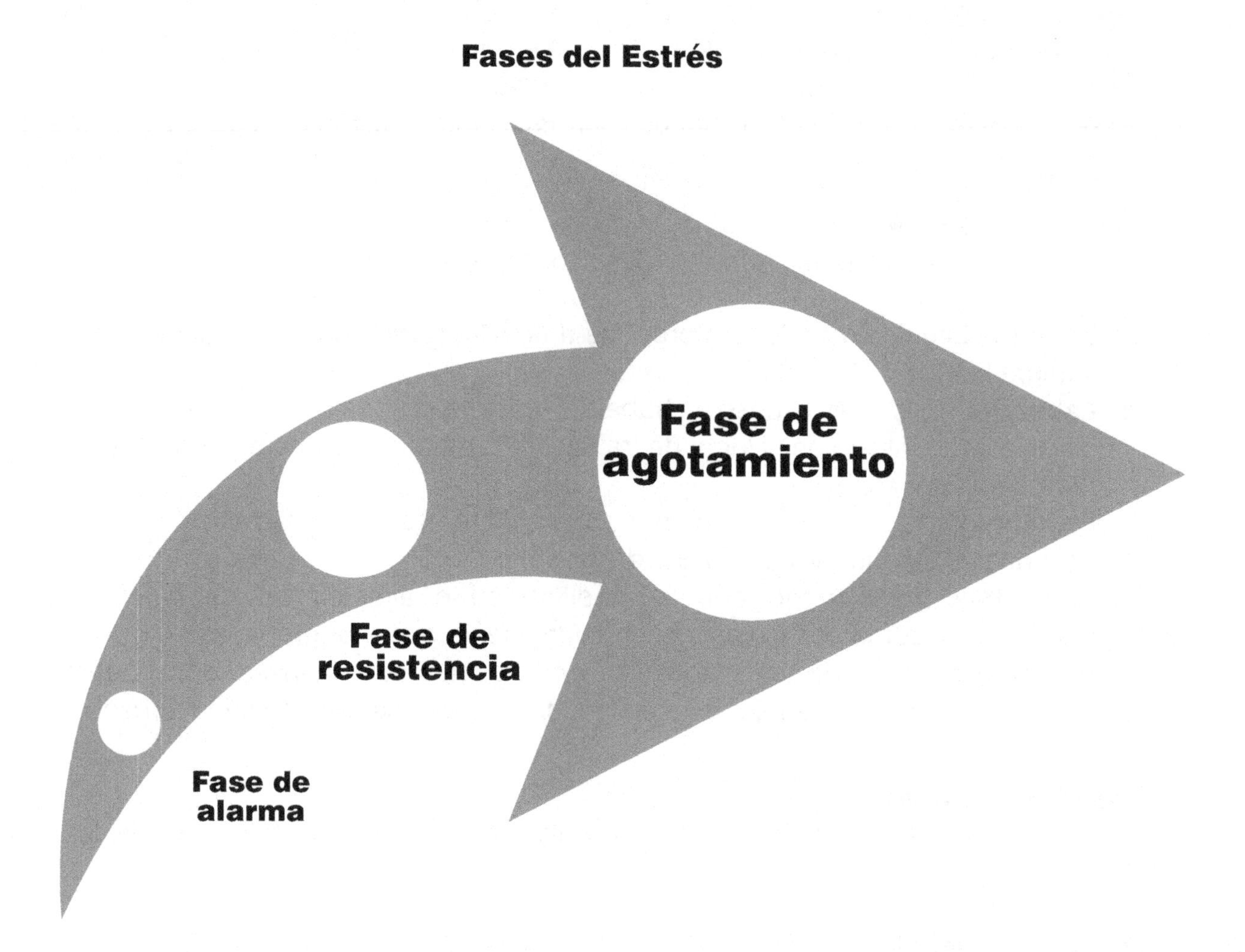

# ::: Hoja de Actividad #33 :::

## Escala de Valoración de Niveles del Estrés

A continuación, encontrará una lista de eventos, situaciones o cambios por los que usted podría estar pasando o haya estado pasando en los últimos 6 meses. Identifique cuáles son las situaciones estresantes y cuál es el valor que le daría a cada uno de ellos en una escala del 1 al 10 (1= mínimo y 10 es el mayor nivel de estrés que pudiera imaginar) y finalmente sume el total. Ponga cero si no aplica en su caso.

1. Divorcio ( )
2. Separación de la pareja ( )
3. Reciente muerte de un pariente ( ) cercano ( )
4. Congestión de tráfico ( )
5. Enfermedad o incapacidad ( )
6. Cambio de residencia ( )
7. Problemas de pareja ( )
8. Problemas con expareja ( )
9. Libertad condicional ( )
10. Problemas económicos ( )
11. Responsabilidades económicas ( )
12. Falta de trabajo ( )
13. Reconciliación con pareja ( )
14. Planes para casarse ( )
15. Planes para comprar casa ( )
16. Trabajar más de cuarenta horas por semana ( )
17. Embarazo esperado ( )
18. Embarazo inesperado ( )
19. Nacimiento de un(a) hijo(a) ( )
20. Promoción en el trabajo ( )
21. Dormir menos de 7 horas/día ( )
22. Problemas con los hijos(as) ( )
23. Problemas legales ( )
24. Problemas en el trabajo ( )
25. Cambio de trabajo ( )
26. Infracciones de la ley ( )
27. Problemas con su carro ( )
28. Problemas familiares ( )
29. Problemas con amistades ( )
30. Problemas con el(la) jefe(a) ( )
31. Vacaciones ( )
32. Cambio de hábitos (dieta, ( ) ejercicios, fumar, alcohol) ( )

¿Otros? Especifique:

33. ______________________________ ( )
34. ______________________________ ( )
35. ______________________________ ( )
36. ______________________________ ( )

Total, de estrés acumulado: ______

Si su puntaje es 50 o más, es probable que usted está sobre estresado(a).

Nombre: ________________________________________________ Fecha: ______________

Esta página fue dejada en blanco intencionalmente.

# ::: Sesión 26 :::

## Manejo del Estrés

**1. Objetivo**

a. Aprender a reducir, prevenir y hacer frente al estrés.

**2. ¿Culpar o tomar responsabilidad del estrés?**

Hasta que no acepte la responsabilidad por el papel que usted desempeña en su creación o mantenimiento del estrés, sus niveles de estrés podrían permanecer fuera de su control. Si usted suma el estrés que le produce un caso legal, su relación de pareja, el trabajo, sus hijos, presiones económicas, problemas de salud, y otros, se dará cuenta que su vida es difícil de soportar.

El hecho de justificar su estrés no le va a aliviar, sino más bien le puede llevar por desesperación a una depresión y frustración por no encontrar una salida a su realidad. Por eso es muy importante que usted aprenda a separar el estrés que siente ante ciertos problemas personales, de las situaciones propiamente dichas.

**3. ¿Es posible manejar el estrés?**

De hecho, usted puede tener control del estrés más de lo que piensa. Si bien experimenta los síntomas de estrés físicamente, las principales causas del estrés están siempre en la mente. NO es lo que le pasa lo que le hace sentir estresado(a), sino como interpreta lo que le pasa. Aunque las responsabilidades económicas no cambien de un día para otro, o que su pareja o jefe no cambien su actitud como a usted le gustaría, la simple comprensión de que usted está en control de su vida y no de los demás es la base del manejo del estrés.

Por ejemplo, si su pareja le lleva la contraria y usted se desespera porque no puede cambiar la manera de ser de él o ella, y enfrenta este problema con mucha tensión, se irrita, intenta evitar la situación, huir del problema, y empieza a sentir una serie de síntomas físicos o emocionales, ¡eso es estrés!

Lo primero que deber hacer si su pareja le lleva la contraria, no se angustie, ni se desespere, aunque esa situación no le guste. Si usted se desespera y empieza a sentirse bajo estrés, podría reaccionar de diversas formas, desde romper objetos de la casa, hasta reaccionar de manera agresiva con todos los medios que disponga a su alcance para intentar dominar a su pareja o pretender conseguir que cambie su actitud; pero la situación no va a cambiar, al contrario, podría empeorar y usted terminará frustrado(a), con niveles altos de estrés o en la cárcel.

### 4. ¿Cómo puede manejar el estrés?

Manejar el estrés consiste en hacerse cargo de sus pensamientos, sus emociones, su agenda, su entorno y la forma en que maneja los problemas. El objetivo final es mantener una vida equilibrada, con tiempo para el trabajo, las relaciones, la relajación y la diversión, además de la capacidad de resistencia para soportar la presión y enfrentar sus propios desafíos.

El manejo del estrés comienza con la identificación de su origen. No siempre es fácil darse cuenta de los factores estresantes, pues algunas veces no son tan obvios como parece. Así mismo dese tiempo para observar detenidamente sus hábitos, actitudes y excusas.

### 5. ¿Que NO hacer para manejar el estrés?

Evitar cualquier tipo de conducta compulsiva o adictiva como:

a. Consumir alcohol en exceso
b. Hacer uso de drogas
c. Fumar
d. Hacer uso excesivo de medicamentos para reducir el estrés
e. Abusar de los juegos de azar
f. Reaccionar de manera agresiva
g. Asilarse socialmente
h. Dormir demasiado
i. Ver televisión, usar computadoras, móviles o las redes sociales por largas horas

### 6. Algunas técnicas de ayuda en la lucha contra el estrés

a. Reconozca sus signos y síntomas de estrés temprano (así como el diabético reconoce sus síntomas).
b. Identifique las situaciones que le causan mayor estrés.
c. Comparta sus pensamientos y sentimientos con personas de confianza.
d. Tome control de sus pensamientos, sus emociones, sus reacciones, su horario, su ambiente, y la manera que maneja sus problemas.
e. Intente resolver problemas personales con quien los tiene.
f. Aprenda a expresar su estrés y otros sentimientos negativos sin herir o culpar a otros.
g. Propóngase metas a corto plazo.
h. Incluya en sus planes hobbies y amistades.
i. Reconozca que usted sólo puede cambiarse a sí mismo(a), no a otras personas.
j. Tenga el coraje de ser imperfecto(a). Tratar de ser perfecto(a), es admirable, lograrlo es imposible.

k. Incluya en su vida algún programa de actividad física (ejercicios, gimnasia, caminata, bicicleta, natación, etc.).
l. Practique técnicas de relajación y meditación.
m. Practique el descanso frecuentemente. Descanse 15 minutos cada dos horas durante el día.
n. Coma alimentos saludables.
o. Duerma al menos siete horas diarias.
p. Aprenda a decir "no" con más frecuencia.
q. Evite personas estresantes o tóxicas.
r. Evite en lo posible temas y situaciones que le causan mucho estrés.
s. Analice su lista diaria de actividades.
t. Si no puede cambiar las situaciones estresantes de su vida, cambie usted mismo(a), adáptese, y deje de quejarse.
u. Enfóquese en sus cualidades y fortalezas.
v. Acepte las cosas, personas y circunstancias que no se puede cambiar.
w. Aprenda a perdonar, nadie es perfecto.
x. Ríase más frecuentemente.
y. Use la técnica de respiración yoga 4-7-8: Cierre los ojos, inhale por la nariz a la cuenta de cuatro, aguante la respiración a la cuenta de siete, y exhale por la boca contando hasta ocho.

Finalmente recuerde que manejar el estrés consiste en hacerse cargo de sus pensamientos, sus emociones, su agenda, su entorno y la forma en que maneja los problemas personales. El objetivo final es una vida equilibrada, con tiempo para el trabajo, las relaciones, la relajación y la diversión, además de la capacidad de resistencia para soportar la presión y enfrentar los desafíos de la vida diaria.

## Balance de Vida y Estrés

# ::: Hoja de Actividad #34 :::

## Mi Plan Personal para el Manejo del Estrés

1. Identifique las situaciones actuales de mucha preocupación que están dando lugar a mantener su estrés.

2. Establezca su lista de prioridades pendientes en orden, del más al menos importante.

3. Identifique las técnicas que está dispuesto(a) hacer para manejar sus niveles altos de estrés:

Nombre: ______________________ Fecha: __________

Esta página fue dejada en blanco intencionalmente.

# ::: Sesión 27 :::

## Abuso de Sustancias y Adicciones

### 1. Objetivos

a. Identificar y reconocer cómo las adicciones afectan seriamente las relaciones de pareja.
b. Identificar algunos problemas relacionados con las adicciones.
c. Entender cómo el abuso de sustancias y adicciones podrían estar relacionados con la violencia doméstica.
d. Identificar patrones de uso y abuso de alcohol o drogas.
e. Aprender a manejar urgencias y antojos relacionados con el consumo de alcohol y drogas.
f. Preparar un Plan de Prevención de Recaída en el abuso de sustancias y adicciones.

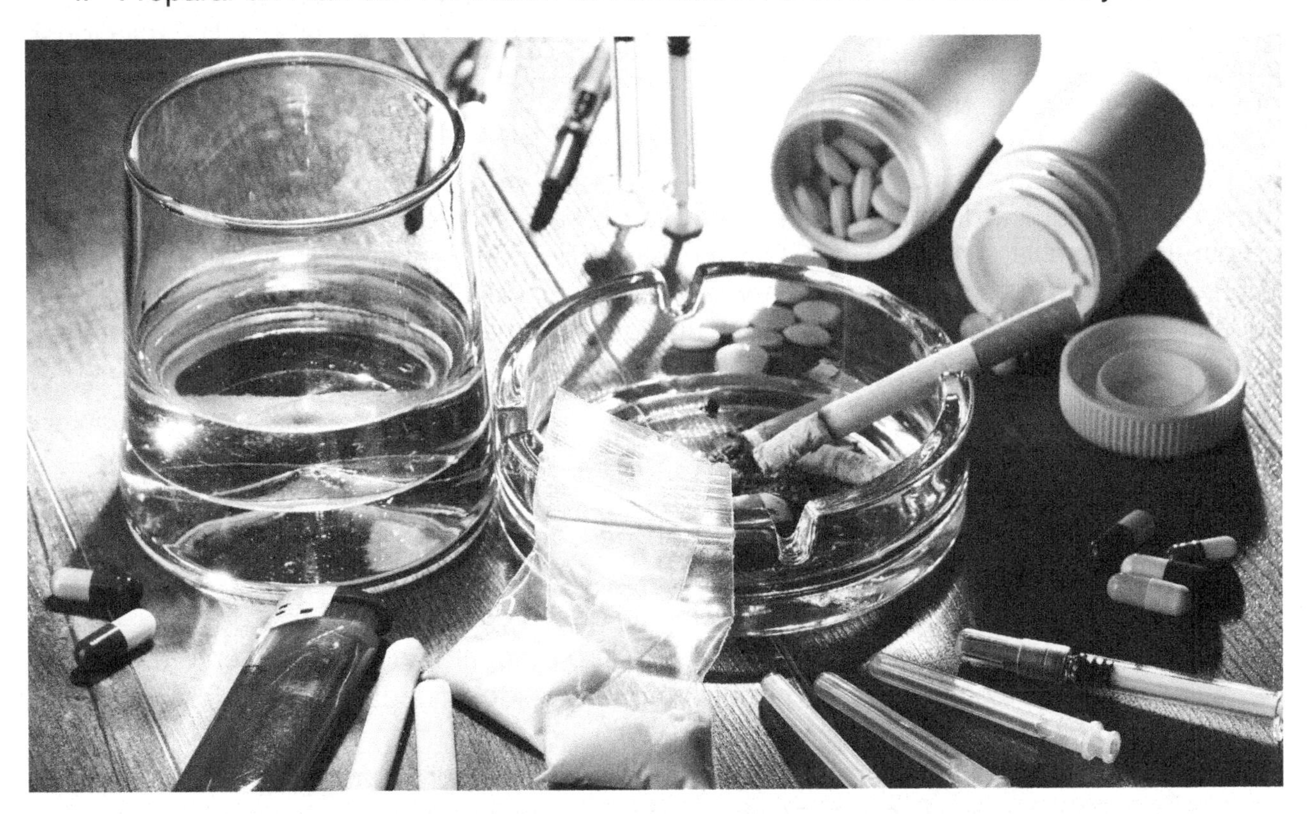

Hay una serie de investigaciones que han demostrado la relación que tienen el uso y abuso de sustancias con el peligro de incurrir en una conducta criminal. El consumo de alcohol y drogas es un factor significativo que contribuye en los delitos graves, como homicidio, violencia doméstica y maltrato infantil.

De cualquier manera, la violencia doméstica no puede justificarse como una simple consecuencia del uso o abuso de alcohol u otras drogas. Cualquier comportamiento adictivo puede ser un factor que contribuye a los conflictos de pareja y a la violencia doméstica, y aun cuando un comportamiento adictivo pudo haberse superado, no necesariamente implica que la violencia doméstica se termine.

## 2. ¿Cuántos tipos de adicciones diferentes existen?

No sólo el alcohol o las drogas ilegales o legales crean adicciones. A parte de las adicciones a las sustancias, existen otras llamadas adicciones de comportamientos, y todas comparten el mismo proceso de evolución cerebral, fisiológico y de tratamiento. No existen distintos tipos de adicción como tal; sino que existen distintas maneras en las que ésta se manifiesta.

De cualquier manera, la mayoría de las adicciones son muy peligrosas para la salud física, psicológica y hasta para las relaciones de pareja, pudiendo llevar a una persona a perder el control de su vida.

## 3. ¿Cuáles son las adicciones de comportamientos?

Entre las adiciones de comportamientos más comunes tenemos: el internet, las redes sociales, la pornografía, el sexo, la comida, el ejercicio físico, los juegos de azar, los videos juegos, las compras, entre otros. Estas conductas adictivas, llamadas también adicción sin sustancias, son un tipo de adición en la cual se da una pérdida de control sobre una determinada conducta y que tiene como característica (igual que las adicciones a sustancias), la dependencia, la tolerancia, el síndrome de abstinencia y la interferencia grave en la vida diaria de quien la padece.

Cualquiera sea la adicción, ésta supone un grado de deterioro personal y social de la persona, y perjudica de manera considerable no sólo su propia vida, sino las relaciones de pareja, la familia, el trabajo, etc. Queda claro que cuando una persona no tiene control sobre sí misma frente a una adicción y pierde la capacidad de decidir entre hacerlo o no hacerlo, se ha convertido en esclavo de un comportamiento adictivo o de una sustancia adictiva.

## 4. ¿Cuáles son los principales signos para identificar un desorden por abuso de sustancias?

a. Necesidad irresistible e intenso deseo de consumir alcohol, drogas o realizar un comportamiento adictivo.
b. Incapacidad para auto controlarse ante el deseo o antojo.
c. Resistencia para dejar de usar la sustancia o detener el comportamiento adictivo, a pesar de las consecuencias negativas que son identificadas por sí mismo(a) o son advertidas por personas cercanas.
d. Negación o minimización de que exista un problema por el uso y abuso de sustancias y de algún comportamiento adictivo, y se molesta o se pone a la defensiva, si alguien le confronta por su comportamiento.
e. Alejamiento y abandono de actividades y relaciones interpersonales que antes disfrutaba.
f. Comportamientos de irritación o malestar frente a los impedimentos para seguir consumiendo alcohol, drogas o continuar con el patrón adictivo.
g. Cambios de conducta como, agresividad o cambios repentinos de humor, que no son explicados por otras causas más que las de su propio comportamiento adictivo.
h. Dificultades para parar con la adicción o dejar de actuar según el patrón adictivo.

i. Síntomas de abstinencia, incluyendo insomnio, dolores de cabeza, malestar estomacal, pérdida del apetito, palpitaciones, sudoración, etc.

**5. ¿Varían las consecuencias y daños de la adicción según la sustancia que se use o el comportamiento adictivo que se tenga?**

A pesar de que muchas de las consecuencias dañinas son comunes en todas las adicciones, algunos daños son específicos al consumo de un determinado tipo de sustancia o de un comportamiento. Por ejemplo, los efectos mentales y físicos de una persona con problemas serios de alcohol son distintos a los producidos por la adicción a la heroína, a la cocaína o a los juegos de azar.

**6. Una persona adicta, ¿puede padecer de otros problemas de salud?**

Muchas veces detrás de un problema de adicción hay algunos desórdenes físicos o mentales. Algunos pueden tener su origen en experiencias extremadamente negativas, traumas del pasado, entre otros, y pueden jugar un papel muy importante en la aparición de una adicción. Algunos desórdenes psicológicos, de comportamiento, y de personalidad, son también factores previos a la adicción, y estos pueden ser ansiedad, depresión, trastorno bipolar y otros problemas mentales.

**7. ¿Cuáles son las sustancias más comunes que producen adicciones?**

Brevemente revisemos algunas de las adicciones a sustancias legales e ilegales más comunes:

**a. Alcohol**

El consumo incontrolado de bebidas alcohólicas puede llegar a convertirse en alcoholismo, que es una enfermedad crónica, progresiva y en muchos casos mortal. El abuso del alcohol afecta la salud física, mental e interfiere con la vida social o familiar, así como con las responsabilidades laborales.

**b. Cocaína**

La cocaína es una droga del grupo de las sustancias psicoactivas, es decir, que produce efectos estimulantes directos sobre el sistema nervioso central, principalmente sobre el cerebro. La tolerancia a la cocaína se desarrolla rápidamente, por lo que su potencial adictivo es altamente elevado.

**c. Marihuana o Cannabis**

La marihuana es una combinación de hojas trituradas, tallos y brotes de flor de la planta Cannabis Sativa. La marihuana puede ser fumada, ingerida, vaporizada, e incluso usada por vía tópica (a través de la piel o las mucosas), pero la mayoría de los consumidores la fuman.

El producto químico activo e intoxicante de la marihuana es tetrahydrocannabinol (THC). De acuerdo con recientes investigaciones, el contenido medio de THC de la marihuana ha aumentado desde menos de 1% en 1972 a casi el 13% en la actualidad. El aumento de la potencia de este producto hace que sea difícil determinar sus efectos tanto a corto como a largo plazo.

Según el Instituto Nacional sobre el Abuso de Drogas de Estados Unidos, el consumo de marihuana puede llevar al consumo problemático (conocido como trastorno por consumo de marihuana), el cual puede tomar la forma de adicción en casos graves. Así mismo se sabe que estos trastornos por consumo de marihuana por lo general se asocian con la dependencia.

**d. Benzodiacepinas**

Las benzodiacepinas, conocidas por sus nombres comerciales como el Xanax, Diazepam, Valium, Lorazepam, etc., son medicamentos que se prescriben clínicamente por su función tranquilizante, para dormir o como relajantes musculares. Estos son medicamentos de prescripción y deben ser controlados medicamente, porque de lo contrario pueden provocar adicción. La dependencia puede ser tanto psicológica como física o una combinación de ambas.

La adicción a las benzodiacepinas se manifiesta por el deseo incontrolable de consumirlas y la necesidad de hacerlo en cantidades cada vez más altas para obtener el efecto deseado; aun sabiendo que esto puede ocasionar problemas psicológicos, físicos o sociales.

**e. Heroína/opioides**

La heroína y otros opioides como el Tramadol, la Metadona, Morfina, y la Oxicodina, entre otros, son drogas sedativas que deprimen el sistema nervioso, entorpecen el funcionamiento del organismo, y combaten el dolor físico y emocional.

De forma general, los opiáceos bloquean los mensajes de dolor, creando una falsa sensación de calma e incrementando las sensaciones de placer en el cerebro. El efecto más usual de la heroína es el sentimiento de relajación, calidez y desapego, junto a una disminución de la ansiedad.

Según el Instituto Nacional sobre el Abuso de Drogas de Estados Unidos, cada día más de 90 estadounidenses mueren por sobredosis de opioides. El abuso y la adicción a los opioides, incluidos los analgésicos recetados, la heroína y los opioides sintéticos como el fentanilo constituyen una crisis nacional grave que afecta tanto la salud pública como el bienestar económico.

**f. Tabaco**

El hábito de fumar mata a más personas cada año, más que el total de muertes combinado por alcohol, uso ilegal de drogas, homicidios, suicidios, accidentes automovilísticos y el SIDA. El hábito de fumar perjudica a casi todos los órganos del cuerpo. Ha sido definitivamente vinculado a las cataratas y la neumonía (pulmonía), y ocasiona la tercera parte de las muertes relacionadas con cualquier tipo de cáncer. En general, el índice de muerte por cáncer se duplica en los fumadores y llega a ser hasta cuatro veces más en los fumadores empedernidos.

# ::: Hoja de Actividad #35 :::

## Historial Personal de Uso de Sustancias

A continuación, identifique su historial personal de uso de sustancias. Trate de ser lo más honesto(a) posible. Marque con una (X) el casillero correspondiente a cada sustancia ya sea que nunca consumió (1), raramente consumió (2), modernamente consumió (3), o intensamente consumió (4).

| Sustancia | 1 | 2 | 3 | 4 |
|---|---|---|---|---|
| Alcohol | | | | |
| Cocaína | | | | |
| Marihuana | | | | |
| Opioides | | | | |
| Anfetaminas/ Metanfetaminas | | | | |
| Barbitúricos | | | | |
| Alucinógenos | | | | |
| Heroína | | | | |
| Metadona | | | | |
| Sedantes/hipnóticos | | | | |
| Inhalantes | | | | |
| Otra(s) sustancia(s): ____________ ____________ | | | | |

Nombre: ______________________________ Fecha: ____________

Esta página fue dejada en blanco intencionalmente.

# ::: Hoja de Actividad #36 :::

## Abuso de Sustancias y Adicciones

1. Si su caso legal de violencia doméstica estuvo relacionado con el consumo de alguna substancia (alcohol/drogas), o con algún comportamiento adictivo, ¿cómo esto contribuyó al incidente de violencia doméstica?

______________________________________________

______________________________________________

______________________________________________

______________________________________________

______________________________________________

2. Si su caso legal de violencia doméstica no estuvo relacionado con el consumo de alguna substancia (alcohol/drogas) o con algún comportamiento adictivo, ¿cómo cree que cualquier comportamiento adictivo, en caso de tenerlo, podría afectar su relación de pareja o en caso de un nuevo incidente de violencia doméstica?

______________________________________________

______________________________________________

______________________________________________

______________________________________________

______________________________________________

3. Si en el pasado a usado o abusado de alguna substancia (alcohol/drogas) o ha tenido algún comportamiento adictivo, ¿cómo esto afectó o pudo haber afectado su relación o relaciones de pareja?

______________________________________________

______________________________________________

______________________________________________

______________________________________________

______________________________________________

4. Si considera que tiene problemas de uso o abuso de substancias (alcohol/drogas) o de algún comportamiento adictivo, ¿cuál sería su Plan de Prevención de Recaída?

______________________________________________________________

______________________________________________________________

______________________________________________________________

______________________________________________________________

______________________________________________________________

Nombre: ______________________________________ Fecha: ____________

# ::: Sesión 28 :::

## Afrontando las Adversidades: Resiliencia

### 1. Objetivos

a. Aprender a sobreponerse ante las adversidades.
b. Perseverar con positivismo los eventos desafortunados.
c. Emprender acciones que le permitan avanzar con su vida.

Cualquier adversidad de la vida puede convertirse en un desafío, o tal vez en una fuente inagotable de problemas y dificultades personales. La diferencia puede estar en cómo enfrenta la adversidad. La resiliencia es un tema que en los últimos años en la psicología clínica se viene utilizando y aplicando para ayudar a las personas a recuperarse de situaciones o experiencias altamente negativas.

### 2. ¿Qué es la resiliencia?

Es la capacidad para **afrontar** las adversidades de la vida, lograr **adaptarse** ante las grandes dificultades, las amenazas, el estrés severo y **salir fortalecido**. La resiliencia no es algo que las personas poseen de manera natural, o que nacieron con esa cualidad o aptitud; sino que se trata de una serie de habilidades que se pueden **aprender, desarrollar y aplicar en la vida diaria.**

**3. ¿Quién es una persona resiliente?**

Una persona resiliente es la que ha aprendido a desarrollar una serie de habilidades que le permite sobreponerse a las adversidades, experiencias negativas de la vida y al estrés severo.

**4. ¿Por qué algunas personas enfrentan mejor el dolor emocional y se recuperan más rápido que otras frente a situaciones dolorosas similares?**

Las personas resilientes en lugar de caer en un papel de víctimas por las circunstancias o cuando tienen que enfrentar una situación difícil, adoptan un sistema de afrontamiento, aceptación y adaptación de forma inmediata ante situaciones que causan dolor emocional intenso.

**5. ¿Ser resiliente significa reprimir el dolor emocional?**

Ser resiliente no significa ignorar o reprimir un dolor emocional. El dolor emocional es normal, especialmente cuando se enfrentan situaciones complicadas, como una separación, un divorcio, la pérdida de un ser querido, la pérdida de un trabajo, enfrentar un caso legal, ir a la cárcel, estar en libertad condicional, etc. La diferencia está en cómo superar, enfrentar y sobresalir ante el dolor emocional.

**6. ¿Qué se puede hacer para salir adelante ante una adversidad?**

Algunas ideas para desarrollar y aplicar la capacidad de resiliencia:

a. Lo primero es aceptar radicalmente el momento y usar declaraciones de afrontamiento para recordarse a sí mismo que este momento es tal cual es, le guste o no. Eso no significa que esté de acuerdo con lo que está pasando alrededor o apruebe lo que ha pasado. Ejemplos de afirmaciones de afrontamiento:

√ "Las cosas son tal como son ahora, me guste o no".
√ "El momento presente es tal cual existe, aunque haya cosas o situaciones que no me gusten que está pasando".
√ "Sigo siendo el(la) único(a) responsable de los acontecimientos que han pasado en mi vida hasta ahora".
√ "Luchar contra el pasado y querer cambiarlo, sólo me impide ver y vivir el presente".
√ "Este momento es exactamente como es y es el resultado de las cosas que han pasado anteriormente".
√ "Este momento es el resultado de muchas decisiones y posibilidades."

b. Seguir con propósitos personales para mejorar cada día, dándole un gran sentido a la vida, a pesar de las circunstancias.
c. Aceptarse tal como es, sentirse optimista que las cosas van a mejorar, y visualizarse positivamente hacia el futuro.
d. Creer firmemente que el cambio es posible y aceptar lo que no se puede cambiar.
e. Esforzarse por identificar las causas de los problemas personales para no volver a repetirlos, y estar dispuesto a recibir ayuda si es necesario.
f. Ser flexible en la manera de pensar, y saber reconocer humildemente los errores.

g. Ser capaz de responder de manera optimista ante los propios errores y fallas, apropiándose de ellos para verlos como lecciones de vida para mejorar y crecer.
h. Saber controlar, regular y asumir responsabilidad de las emociones, dejando de culpar a los demás.
i. No huir de los problemas, sino afrontarlos y buscar soluciones. Esto implica ver los problemas como retos que se pueden superar y no como terribles amenazas.
j. Cultivar un círculo de amistades cercanas y buenas relaciones familiares, porque estas son las personas que probablemente van a estar allí para escucharle y apoyarle en los momentos difíciles.

**7. ¿Qué características destacan en una persona resiliente?**

Las personas resilientes se caracterizan por:

a. Tener una mejor imagen de sí mismos(as).
b. Aceptar la realidad tal como es.
c. Intentar hacer todo lo que pueden (aunque sus intentos parezcan no conducir a nada).
d. Confiar más en sí mismos(as).
e. Ser cuidadosos de autocriticarse.
f. Ser más optimistas.
g. Tener relaciones interpersonales más estrechas.
h. Establecer metas más realistas.
i. Ser más sanos física y emocionalmente.
j. Tener más éxito en sus trabajos y estudios.

Finalmente recuerde: "Lo que no mata, fortalece".

## *Estrategias para fortalecer la Resiliencia (*)*

1. ***Establecer relaciones interpersonales***
   - ◊ *Hacer y mantener amistades.*
   - ◊ *Mostrar empatía (identificarse con el dolor del otro).*
2. ***Ayudar a los demás***
   - ◊ *Permite superar la sensación de no poder hacer nada.*
   - ◊ *Realizar trabajos voluntarios.*
3. ***Mantener una rutina diaria***
   - ◊ *Respetar una rutina puede ser reconfortante.*
   - ◊ *Desarrollar sus propias rutinas.*
4. ***Tomarse un descanso***
   - ◊ *Preocuparse incesantemente puede resultar contraproducente.*
   - ◊ *Tratar de concentrarse en algo distinto a lo que le preocupa.*
   - ◊ *Tomar un descanso de esas cosas que le causan inquietud.*
5. ***Cuidar de sí mismo***
   - ◊ *Tomarse el tiempo para comer como es debido.*
   - ◊ *Hacer ejercicio.*
   - ◊ *Asegurarse de tener tiempo para divertirse.*
6. ***Avanzar hacia las metas***
   - ◊ *Fijar metas razonables.*
   - ◊ *Mejorar, dando un paso a la vez, un día a la vez.*
   - ◊ *Salir adelante ante los desafíos.*
7. ***Alimentar una autoestima positiva***
   - ◊ *Recordar cómo pudo salir de dificultades en el pasado.*
   - ◊ *Los desafíos pasados ayudan a desarrollar la fortaleza para manejar desafíos futuros.*
   - ◊ *Aprender a confiar en sí mismo(a) para resolver los problemas y tomando las decisiones adecuadas.*
8. ***Mantener las cosas en perspectiva con una actitud positiva***
   - ◊ *Enfrentar los sucesos dolorosos.*
   - ◊ *Ver la situación en un contexto más amplio.*
   - ◊ *Mantener una visión de largo plazo.*
   - ◊ *Mantener una actitud optimista y positiva.*
   - ◊ *Seguir adelante, incluso en los momentos más difíciles.*
9. ***Buscar oportunidades para el autodescubrimiento***
   - ◊ *Los momentos difíciles suelen ser los momentos en que más aprendemos sobre nosotros mismos.*
10. ***Aceptar que el cambio es parte de la vida***
    - ◊ *Los cambios pueden ser terribles para los mas vulnerables.*
    - ◊ *Entender y aceptar que la vida es un constante cambio.*
    - ◊ *Reemplazar con nuevas metas a aquellas que puedan haberse convertido en inalcanzables.*

*(*) Fuente: Centro de apoyo de la Asociación Americana de Psicología (APA)*

# ::: Hoja de Actividad #37 :::

## Resiliencia

1. ¿Considera que su caso legal de violencia doméstica ha sido un desafío personal para usted?, ¡Explique!

______________________________________________

______________________________________________

______________________________________________

______________________________________________

______________________________________________

______________________________________________

2. ¿De qué manera esta experiencia legal le puede ayudar a desarrollar la fortaleza de manejar nuevos desafíos o adversidades en el futuro?

______________________________________________

______________________________________________

______________________________________________

______________________________________________

______________________________________________

______________________________________________

3. ¿Está dispuesto a asumir los errores que cometió en su caso legal de violencia doméstica, y verlo como una lección de vida para mejorar en su vida personal y lograr sus objetivos personales? Explique.

______________________________________________

______________________________________________

______________________________________________

______________________________________________

______________________________________________

______________________________________________

Continúa >>>

4. Si considera que no es una persona resiliente, ¿qué es lo que necesita hacer diferente, de hoy en adelante, para convertirse en una personal resiliente?

______________________________________________________________________

______________________________________________________________________

______________________________________________________________________

______________________________________________________________________

______________________________________________________________________

______________________________________________________________________

Si considera buscar ayuda adicional, puede encontrarla en algunos libros como: "La opción B: Afrontar la adversidad, desarrollar la resiliencia y alcanzar la felicidad", de Sheryl Sandberg y Martin Seligman; y "Grit: El poder de la pasión y la perseverancia", de Angela Duckworth.

Nombre: ____________________________________________ Fecha: ____________

# ::: Sesión 29 :::

## ¿Quién Soy Yo? Autoconcepto y Autoestima

### 1. Objetivos

a. Tomar consciencia de la imagen que se tiene de sí mismo(a) e identificar las características positivas y negativas.
b. Reconocer las fortalezas y limitaciones personales, quererse, valorarse, aceptarse, y proponerse cambios personales.
c. Poner en práctica nuevas ideas, para el desarrollo y fortalecimiento de un buen autoconcepto y una mejor autoestima.

Muchas veces se confunden los términos de autoconcepto y autoestima, creyendo que ambos significan lo mismo, sin embargo, aunque están estrechamente relacionados y se complementan mutuamente, existen algunas diferencias.

### 2. ¿Qué es el autoconcepto?

La palabra autoconcepto está referida al conocimiento, percepción y la imagen que cada uno tiene de sí mismo(a). No es la idea u opinión que los demás pudieran tener de usted, sino es el **concepto, impresión u opinión** que usted tiene de sí mismo(a). En otras palabras, es la autoimagen que tiene de sí mismo(a) basada en la información que dispone gracias a su propio proceso de aprendizaje, creencias personales y de sus experiencias a lo largo de su vida. Su autoconcepto puede ser positivo o negativo.

### 3. ¿Qué es la autoestima?

La autoestima es un sentimiento de valoración, percepción o juicio positivo, o negativo, que usted tiene de sí mismo(a) en los aspectos **valorativos y afectivos.** Es decir, cuánto usted se valora, se quiere, se estima, se aprecia, o si se considera digno(a) o no. La autoestima es una relación muy personal que se va construyendo a través de la vida, y ésta se ve reflejada en la manera de pensar, sentir y amar de cada uno. La autoestima no es cuánto los demás lo quieran o valoren.

### 4. ¿Por qué es importante el autoconcepto y la autoestima?

Cual sea el concepto o la estima que usted posea de sí mismo(a), éstos se retroalimentan entre sí, y pueden afectar directa o indirectamente su manera de pensar, sentir y actuar. El autoconcepto y la autoestima son importantes para su desarrollo personal, su salud emocional, y su actitud ante sí mismo(a) y ante los demás. Además, todo esto tiene un impacto significativo en la vida personal, laboral, social y en las relaciones interpersonales. En otras palabras, un concepto negativo de sí mismo(a) o una baja autoestima podría causar dificultades en las relaciones personales, laborales, sociales o de pareja.

La ventaja es que el autoconcepto y la autoestima no son características personales con los que se nacen. Estas se construyen y usted como adulto puede ser más consciente de sus pensamientos y de la autocrítica, ya sea constructiva o negativa, que pueden afectar e impactar positiva o negativamente en sí mismo(a), entonces es cuando puede decidir fortalecer o cambiar, de ser necesario, la manera de verse a sí mismo(a).

### 5. ¿Cuáles son las características de una persona con un concepto negativo de sí mismo(a) y con baja autoestima?

Un concepto negativo de sí mismo(a) o una baja autoestima normalmente es consecuencia de factores como la inseguridad personal, enorme necesidad de aprobación de los demás, dificultades en sus relaciones sociales, excesiva dependencia de otros, miedo al fracaso o a cometer errores, etc.

Cuando se tiene una autoestima baja y un pobre autoconcepto, se tiende a pensar que son inservibles, horrorosos, y que no son capaces ni merecedores de nada. A nivel personal, la imagen física de sí mismo(a) podría estar básicamente distorsionada. También, los sentimientos de inferioridad y las continuas comparaciones con los demás, pueden devaluar la imagen y estimación personal de sí mismo(a). Entre otras de las características de las personas con un concepto negativo de sí mismos(as) y una baja autoestima tenemos:

a. No se aceptan tal como son.
b. Minimizan sus logros y nunca es suficiente lo que hacen.
c. Dan exagerada importancia a sus defectos.
d. Se sienten demasiado culpables cuando comenten errores.
e. No confían en sus capacidades o habilidades.
f. Casi siempre andan a la defensiva, y se toman las cosas de manera personal.
g. Les cuesta mucho aceptar las críticas.
h. Tienen dificultades para expresar sus emociones o puntos de vista por miedo al rechazo de los demás.
i. Les cuesta mucho decir "NO" ante una petición o favor.

j. Carecen de hábitos de vida saludables.
k. Son más propensos a las adicciones.
l. Carecen de iniciativas propias.
m. Tienen miedo exagerado de asumir nuevos retos.
n. Son poco tolerantes a la frustración.
o. Tienen desconfianza para relacionarse con los demás.
p. Tienen dudas de asumir nuevos retos y responsabilidades.
q. Se dejan influenciar fácilmente por los demás.

### 6. ¿Cuáles son las características de una persona con un concepto positivo de sí mismo(a) y con alta autoestima?

El autoconcepto y la autoestima positiva no consiste en verse como una persona arrogante, fabulosa y maravillosa, con cualidades absolutamente excepcionales, a quien todo le va bien y a la que el éxito le acompaña permanentemente.

Tener una autoestima positiva supone valorarse por el hecho de ser quien se es. No es creerse mejor que nadie, sino aceptarse con sus defectos y virtudes, de forma incondicional. Cuando la persona humildemente se acepta y se quiere tal y como es, le es más fácil crecer y mejorar en todos los aspectos de su vida.

Las personas con un concepto positivo de sí mismas y con una autoestima alta, son más independientes emocionalmente, son más francas, más abiertas con respecto a sus pensamientos y sentimientos, no tienen miedo de mostrar sus emociones u opiniones. Si se sienten mal o no están de acuerdo con algo, no se sienten obligados(as) a "disimular" lo que piensan o sienten. Entre otras características de las personas con un autoconcepto positivo de sí mismos(as) y con una autoestima positiva tenemos:

a. Saben tomar sus propias iniciativas.
b. Se sienten capaces de afrontar nuevos retos.
c. Con mucha humildad saben valorar sus logros.
d. Saben reconocer sus propios errores y superar sus fracasos.
e. Son más tolerantes a la frustración.
f. Son flexibles con sus emociones y sentimientos.
g. Mantienen relaciones saludables con los demás.
h. Son capaces de asumir sus propias responsabilidades.
i. Frecuentemente actúan con mucha independencia y decisión propia.

### 7. ¿Cómo puedo mejorar el autoconcepto y fortalecer la autoestima?

La buena noticia es que el concepto y la estima que una persona se tiene de sí mismo(a) se puede reformar, mejorar, fortalecer o recuperar, si es ese el caso. Si usted considera necesario trabajar en mejorar su autoconcepto o fortalecer su autoestima, aquí tiene algunas claves y ejercicios para empezar:

a. Se requiere muchas veces salir de esa "zona de confort" que le hace "sentir bien", y desde allí arriesgarse y enfrentarse a lo desconocido, a lo nuevo, a lo desafiante.
b. Empezar a vivir con propósitos, tener sueños, luchar para alcanzar las metas, tomar decisiones nuevas, tener caídas, levantarse, aprender y hacer los cambios necesarios para seguir adelante a pesar de las circunstancias.

c. Es verdaderamente importante mantener una percepción y valoración objetiva y positiva de sí mismo(a). De igual forma y con mucha humildad, hay que aceptarse tal como es y con todo lo que usted es, con sus virtudes, talentos, dones, defectos y limitaciones.
d. Ser comprensivos y empáticos consigo mismo(a), mirar los errores del pasado que le llevó a donde está ahora y corregirlos.
e. A pesar de los errores cometidos en su caso legal de violencia doméstica hoy puede aprender a perdonarse a sí mismo(a), nadie es perfecto, y aunque haya tenido momentos muy difíciles, ahora mismo esos momentos ya no están. Hay que soltar el pasado, para vivir el presente, en el aquí y ahora.
f. Otro de los pasos más importantes para liberarse de ese monstruo del pasado, de ese enemigo interno que tanto daño le hace, es perdonar a quienes tiene que perdonar. Perdonar no significa estar de acuerdo con lo que alguna vez pasó, ni que apruebe lo que le pasó en un determinado momento de su vida. Perdonar tampoco significa dejar de darle importancia a lo que sucedió, ni darle la razón a alguien que cree que le hizo daño. Simplemente significa soltar y dejar de lado aquellos pensamientos negativos que le causaron algún dolor emocional, enojo o frustración.
g. Preste mucha atención a su discurso interno, a lo que se dice a sí mismo(a) una y otra vez. Deténgase o aparte cualquier crítica negativa o destructiva hacia usted mismo(a). Por el contrario, trate de ser bondadoso(a), amable y paciente con usted. Además, siéntase orgulloso(a), apóyese, y cuide de su cuerpo y mente. No espere que alguien lo haga por usted.

# ::: Hoja de Actividad #38 :::

## Cuestionario de Autoconcepto y Autoestima

A continuación, encontrará una serie de ideas, percepciones, y sentimientos que las personas con un concepto negativo o baja autoestima tienen. Marque con una "X" en una de las 3 columnas de la derecha, si aplica en su caso: Casi siempre, Algunas veces, o Nunca.

| Sentimiento o concepto de sí mismo(a) | Casi siempre | Algunas veces | Nunca |
|---|---|---|---|
| 1. Me siento incapaz de hacer cosas extraordinarias. | | | |
| 2. Me castigo demasiado por cometer errores. | | | |
| 3. Me cuesta demasiado superar mis propios errores. | | | |
| 4. Me siento incapaz de afrontar las dificultades de la vida. | | | |
| 5. Frente a tareas difíciles, prefiero evitarlas en lugar de hacer uso de mis habilidades para superarlas. | | | |
| 6. Soy muy sensible a las críticas y fácilmente me siento desanimado. | | | |
| 7. Evito hacer cosas nuevas por miedo al fracaso o al qué dirán. | | | |
| 8. Me enfoco más en mis debilidades que en mis capacidades. | | | |
| 9. Me avergüenzo de mis defectos y limitaciones. | | | |
| 10. Casi siempre me estoy fijando en lo negativo de las cosas o en lo negativo de las personas. | | | |
| 11. Me comparo mucho con los demás y me siento menos que ellos. | | | |
| 12. No me siento a gusto con las cosas que realizo. | | | |
| 13. Me siento muy inseguro(a) y me cuesta mucho tomar decisiones. | | | |
| 14. Me cuesta mucho y tengo miedo a expresar mis sentimientos. | | | |

| Sentimiento o concepto de sí mismo(a) | Casi siempre | Algunas veces | Nunca |
|---|---|---|---|
| 15. Me gustaría parecerme físicamente a otra persona. | | | |
| 16. Me siento incómodo al expresar ideas que probablemente no van a coincidir con las ideas de los demás. | | | |
| 17. Me siento con frecuencia que no soy bueno(a) para nada y casi todo lo que hago me sale mal. | | | |
| 18. Siento que lo que hago nunca es suficiente para los demás. | | | |
| 19. Sólo me siento seguro(a) de las cosas que hago si alguien me dice que está bien y que continúe haciéndolas. | | | |
| 20. Me preocupa demasiado que otros tengan mejores habilidades que yo. | | | |
| 21. Me siento mal porque otros pueden hacer las cosas mejor que yo. | | | |
| 22. Si me siento molesto(a) o triste por alguna razón, me siento obligado(a) "disimular" en lugar de dejar saber cómo me siento. | | | |
| 23. Si tengo una opinión "contraria" a los demás, evito expresarla de cualquier manera. | | | |
| 24. Cuando me veo en un espejo me digo: "Que horrible soy". | | | |

Si ha marcado una o varias "Xs" en las columnas de los "Casi siempre" o en "Algunas veces", es probable que necesite trabajar en mejorar su autoconcepto y autoestima, así como establecer un plan de cómo va a superar cada uno de estos sentimientos o conceptos.

Nombre: ______________________________ Fecha: __________

## ::: Hoja de Actividad #39 :::

### ¿Quién Soy Yo?: Autoconcepto y Autoestima

¿Con quién o quiénes está resentido? ¿No se ha podido perdonar a usted mismo por sus errores cometidos?, ¿A quiénes no ha podido perdonar hasta ahora? ¿Aún se siente encadenado por las heridas que recibió cuando era niño(a)? ¿Cree que es víctima de una relación que no funcionó?, o ¿Se siente víctima del destino? Es hora de soltar todas aquellas historias personales llenas de resentimientos que a la única persona a quien le afecta es a usted mismo(a) y le restan energía.

1. Haga un listado de aquellas personas, incluyéndose a usted mismo si es necesario, con los que aún está resentido(a), y que ahora considera que son un desgaste de energía para usted. Reflexione y decida hoy mismo perdonarse o perdonar a esas personas para liberarse de ese tremendo peso que ha cargado por mucho tiempo.

a. ______________________________

b. ______________________________

c. ______________________________

d. ______________________________

e. ______________________________

2. Haga una lista de sus cualidades, fortalezas, virtudes, y cosas en las que considera que es bueno(a).

______________________________ ______________________________

______________________________ ______________________________

______________________________ ______________________________

______________________________ ______________________________

3. Haga una lista de las cosas que le gustaría mejorar de sí mismo(a) y la razón o razones más importantes por las que le gustaría hacer esos cambios.

______________________________

______________________________

______________________________

______________________________

Nombre: ______________________________ Fecha: ______________

## Mis Valores y Cualidades Personales

Marque cada uno de los valores y cualidades que considera como suyas:

- ☐ Soy un buen amigo(a)
- ☐ Soy un buen hermano(a)
- ☐ Soy un buen hijo(a)
- ☐ Soy un buen padre/madre
- ☐ Soy buen compañero(a) de trabajo
- ☐ Soy buen(a) esposo(a)
- ☐ Soy inteligente
- ☐ Pienso bien las cosas antes de actuar
- ☐ Mantengo mis promesas
- ☐ Soy leal
- ☐ Soy buen(a) trabajador(a)
- ☐ Sé escuchar a los demás
- ☐ Sé guardar secretos
- ☐ Soy de compartir con los demás
- ☐ Hago lo mejor que puedo de sí mismo(a)
- ☐ Soy muy responsable
- ☐ Soy bueno(a) bailando
- ☐ Soy una persona muy limpia
- ☐ Soy agradable
- ☐ Soy amable
- ☐ Soy bueno(a) cantando
- ☐ Casi siempre tengo buenas ideas
- ☐ Soy bueno(a) con los números
- ☐ Aprendo con facilidad
- ☐ Soy ordenado(a)
- ☐ Soy bueno(a) dibujando
- ☐ Tengo buen cuerpo
- ☐ Soy saludable
- ☐ Usualmente caigo bien a los demás
- ☐ Me considero fuerte ante las adversidades
- ☐ Soy una persona sociable
- ☐ Tengo buen sentido del humor
- ☐ Soy cuidadoso(a) con las cosas ajenas
- ☐ Soy comprensivo(a) con los demás
- ☐ Me gusta ayudar a los demás
- ☐ Soy bueno(a) hablando en público
- ☐ Me acepto tal como soy
- ☐ Defiendo mis ideas y creencias personales
- ☐ No me doy por vencido(a) fácilmente
- ☐ Soy generoso(a)
- ☐ Soy respetuoso(a)
- ☐ Soy justo(a)
- ☐ Soy cortés
- ☐ Soy tolerante
- ☐ Me gusta como soy físicamente
- ☐ Soy educado(a)
- ☐ Casi siempre consigo lo que me propongo
- ☐ Soy de reconocer y aprender de mis errores
- ☐ Hago lo posible para resolver mis propios problemas
- ☐ Me motivo fácilmente
- ☐ No me dejo llevar por los demás
- ☐ Me gusta aprender cosas nuevas
- ☐ Me considero buena persona
- ☐ Soy adorable
- ☐ Soy fácil de querer a los demás
- ☐ Soy confiable
- ☐ Soy exitoso(a)
- ☐ Puedo confiar en mi juicio
- ☐ Soy honorable
- ☐ Soy humilde
- ☐ Soy honesto

☐ Otros valores o cualidades:

- ☐ ______________________________
- ☐ ______________________________
- ☐ ______________________________
- ☐ ______________________________
- ☐ ______________________________
- ☐ ______________________________
- ☐ ______________________________

# ::: Hoja de Actividad #40 :::

## El Árbol de Mis Valores y Cualidades Personales

Este es un ejercicio terapéutico: Usted deberá dibujar un árbol frutal con raíces de todo tamaño y extensión. En el tronco deberá escribir su nombre, en las raíces escribirá cada uno de sus valores y cualidades, y en los frutos deberá escribir sus logros alcanzados. (Use las raíces más gruesas para colocar sus mejores valores y cualidades).

Reflexione sobre este ejercicio y comparta su dibujo con sus compañeros(as) de grupo y terapeuta acerca de cómo se ve usted mismo(a) una vez concluido el ejercicio.

Nombre: ______________________________ Fecha: ____________

Esta página fue dejada en blanco intencionalmente.

# ::: Sesión 30 :::

## Mi Centro de Control: ¿Externo o Interno?

### 1. Objetivos

a. Identificar qué tan fuerte es la creencia que usted tiene acerca del control e influencia sobre las situaciones y experiencias que afectan su vida.
b. Identificar si los agentes causales de su vida cotidiana o de lo que ocurre en su vida son controlables por usted o no.
c. Establecer total y absoluta responsabilidad de sus acciones por su caso legal de violencia doméstica.

El término centro de control, foco de control, o "locus of control", como es conocido en inglés, no es un concepto ampliamente conocido, especialmente en la población latina, sin embargo, tiene una enorme aplicación en el campo de la educación, la sociología y la psicología.

### 2. ¿Qué es el Centro de Control?

a. El centro de control es el grado en que las personas sienten que tienen el control de lo que ocurre en sus vidas y los factores que se les atribuye a lo que resulta con sus vidas. Este concepto tiene dos áreas de dominio: Centro de Control Externo y Centro de Control Interno.
b. Cualquiera sea su posición del centro de control (Interno o Externo), éste determinará el grado en que usted pueda ser una persona susceptible de ser controlado e influenciado por otros o no.

c. El modo de afrontar todo lo que sucede en nuestras vidas tiene un gran impacto en la motivación para actuar ante determinadas circunstancias; y esto depende dónde nos encontremos ubicados o posicionados con nuestro centro de control (externo o interno).
d. En el caso de un ofensor de violencia doméstica, el centro de control generalmente se refiere a cómo usted percibe las causas por las que terminó involucrado(a) en un caso legal de violencia doméstica.

**3. ¿Quién es una persona con un centro de control externo?**

a. Una persona con un centro de control externo es la que atribuye su éxito, logros, fracasos o errores a la suerte, al destino, al karma, o al azar. Esta persona es menos probable que haga cualquier esfuerzo necesario para aprender de sus propias experiencias de vida, sean éstas positivas o negativas.
b. Las personas con un centro de control externo también tienen más probabilidades de experimentar ansiedad y depresión, ya que creen que no tienen el control de sus vidas.
c. Cuando el centro de control de una persona es externo, las responsabilidades de su vida o sus propios logros son atribuidos a los demás o a las circunstancias, que son los que supuestamente ejercen poder y tienen una gran influencia en sus sentimientos o acciones. Este es el tipo de persona que pone la aprobación, el reconocimiento, la aceptación, la afirmación y el valor de sí mismo(a) en el poder externo o circunstancias.
d. Al menos que los demás aprueben, reconozcan, acepten, o afirmen sus acciones, una persona con un centro de control externo, se sentirá sin valor, sin ser aprobado, sin ser aceptado, y sin ser reconocido. De esta manera esta persona será susceptible de ser controlado por otros en su manera de pensar, sentir y actuar.
e. En otras palabras, una persona con un "centro de control externo" generalmente cree que sus éxitos o fracasos son el resultado de fuerzas externas que están más allá de su control, como la suerte, el destino, el azar, las circunstancias de la vida, etc.
f. Por ejemplo, un ofensor de violencia doméstica con un "centro de control externo" le atribuye su caso legal de violencia doméstica al resultado de factores externos que estuvieron más allá de su control, como la "mala suerte" que la policía haya intervenido en un incidente con su pareja o expareja y que haya sido arrestado(a).

**4. ¿Quién es una persona con un centro de control interno?**

a. Una persona con un centro de control interno tiene la suficiente energía y poder para influenciar en sus propias decisiones, manera de pensar, sentir y actuar, por lo cual, lo que ocurre alrededor de su vida generalmente está bajo su control.
b. Este tipo de persona se apropia de sus aciertos y errores. La aprobación, el reconocimiento, la aceptación, y el valor de la afirmación de sí mismo(a) está en sus propias manos, no en la de los demás. De esta manera el poder de influencia sobre sí mismo(a) depende de él o ella y no de los demás.
c. Esta persona reconoce sus propios esfuerzos y la capacidad para sentirse reconocido, valorado, competente, experto, creativo, bien informado y apto de seguir adelante con su vida. Además, reconoce que para llevar el "mando de su propio destino",

depende de sí mismo(a) y que no tienen nada que ver con las fuerzas externas, como la suerte, el karma, etc.

d. La persona con un centro de control interno parte de la creencia que tiene control de su destino, y que la mayoría de los acontecimientos en su vida, ya sean estos buenos o malos, acertados o no, son causados por factores controlables por sí mismo(a) como la actitud, la preparación, la organización, la voluntad y el esfuerzo.
e. Ejemplo: Una persona con centro de control interno pasa por un divorcio, y reconoce que las causas de la ruptura de su relación son factores que pudieron haberse controlado, como el haber sido un abusador y que usó el poder y control en su relación.

**5. ¿Por qué es importante mantener el centro de control interno para un ofensor de violencia doméstica?**

a. Una persona con un centro de control interno es más probable que asuma completamente la responsabilidad de su manera de pensar, sentir y actuar, y tiende a estar menos influenciado por las opiniones o creencias de los demás.
b. Si usted es una persona con centro de control interno o busca desarrollar y aplicar esta habilidad personal, usted podrá ser capaz de conectarse con las consecuencias de sus acciones y encontrar una solución eficaz a sus problemas personales o legales.
c. Este tema le ayudará asumir un rol activo de su caso legal, y de los problemas en su vida, incluyendo sus actitudes, sus creencias, y de la forma de hablarse a sí mismo(a). De esta manera también aprenderá que usted tendrá control sobre sí mismo(a), y podrá ampliar sus opciones y alternativas de solución a sus problemas personales, para no volver a caer en el mismo patrón de comportamiento que terminaron en un caso legal de violencia doméstica.
d. El centro de control interno no sólo es algo deseable, sino absolutamente necesario en la vida de las personas, y esto implica estar convencido que las propias acciones y decisiones tienen un impacto en la vida de cada uno de nosotros.

## Mi Centro de Control: ¿Interno o Externo?

**Interno**

*- Cree y ejerce influencia en su propias decisiones.*

*- Es responsable de su manera de pensar, sentir y actuar.*

*- Está bajo control de su propia vida.*

*- Se adueña de sus aciertos y errores.*

*- La aprobación, el reconocimiento, la aceptación y el valor de su afirmación está en sus manos.*

*- Mantiene el poder de influenciarse a sí mismo(a).*

*- Reconoce sus propios esfuerzos y decisiones.*

*-El destino es propio.*

***Mi Centro de Control***

**Externo**

*- Cree que el éxito, logros, fracasos y errores depende de la suerte, el destino, o el azar.*

*- Es más propenso a la ansiedad, depresión, por no tener control de su vida.*

*- La responsabilidad de sus logros o fracasos es atribuida a las circunstancias.*

*- La aprobación, el reconocimiento, y aceptación de sí mismo(a) está en manos de los demás.*

*- Se siente sin valor, sin ser aprobado, aceptado o reconocido.*

*- El destino no depende de él o ella.*

# ::: Hoja de Actividad #41 :::

## Mi Centro de Control: ¿Externo o Interno?

1. ¿Con cuál de los dos centros de control se siente identificado?

______________________________________________________________________

______________________________________________________________________

______________________________________________________________________

______________________________________________________________________

______________________________________________________________________

______________________________________________________________________

2. En su caso legal de violencia doméstica ¿Cuál fue el enfoque de centro de control que tuvo antes de iniciar su tratamiento, y cuál es el enfoque que le da ahora?

______________________________________________________________________

______________________________________________________________________

______________________________________________________________________

______________________________________________________________________

______________________________________________________________________

______________________________________________________________________

3. De hoy en adelante, ¿cómo cree que podría aplicar el "centro de control" en su vida y evitar caer en un nuevo caso legal de violencia doméstica?

______________________________________________________________________

______________________________________________________________________

______________________________________________________________________

______________________________________________________________________

______________________________________________________________________

______________________________________________________________________

Nombre: ____________________________________________ Fecha: ______________

Esta página fue dejada en blanco intencionalmente.

# ::: Proyecto Especial IV :::

## Autoevaluación de Cambios, Logros, Habilidades, y Aptitudes Alcanzadas Durante Mi Tratamiento de Violencia Doméstica

### 1. Objetivos

a. Identificar sus nuevas ideas, habilidades, herramientas, y cambios positivos que ha aprendido desde el inicio de su tratamiento.
b. Identificar cambios en su manera de pensar y actuar, relacionados con el compromiso de poner fin a todo tipo de comportamiento abusivo o agresivo en las relaciones de pareja.
c. Demostrar la responsabilidad y el compromiso de deshacerse de cualquier modelo negativo de comportamiento violento o agresivo en las relaciones de pareja.
d. Explicar los métodos asertivos y constructivos que ha aprendido durante el tratamiento, y de cómo responder a las futuras tensiones, conflictos y sentimientos negativos en una relación de pareja.

Basado en los compromisos básicos de su Plan de Cambio Personal, que se propuso al inicio del tratamiento, deberá responder honestamente a las preguntas planteadas en cada una de las aptitudes y temas en los que ha trabajado durante su tratamiento de violencia doméstica.

Esta es su oportunidad para demostrar lo que ha aprendido durante su tratamiento. Por favor sea lo más específico posible para demostrar cada una de las aptitudes y habilidades logradas. Esto ayudará a su oficial de libertad condicional, trabajadora social y a su terapeuta a determinar si está listo para terminar su tratamiento.

En lo posible, escriba cada una de sus respuestas de manera detallada, y de ser necesario utilice hojas adicionales.

### 2. Su compromiso para eliminar cualquier comportamiento abusivo o agresivo

*a. ¿Qué significa esto para usted, el comprometerse de hoy en adelante a eliminar cualquier comportamiento abusivo/agresivo?*

______________________________________________________________________

______________________________________________________________________

______________________________________________________________________

______________________________________________________________________

______________________________________________________________________

b. *¿Cuáles fueron sus conductas abusivas cometidas en el pasado durante su(s) relación(es) de pareja?*

______________________________________________________________________

______________________________________________________________________

______________________________________________________________________

______________________________________________________________________

______________________________________________________________________

c. *¿Cómo demuestra ahora su compromiso de que usted es consciente de cambiar su comportamiento abusivo?*

______________________________________________________________________

______________________________________________________________________

______________________________________________________________________

______________________________________________________________________

______________________________________________________________________

**3. Trabajando en su Plan de Cambio Personal**

*En una escala del 1 al 10, ¿Qué tanto se ha esforzado durante el tratamiento, para hacer los cambios necesarios que se propuso al inicio? Explique:*

______________________________________________________________________

______________________________________________________________________

______________________________________________________________________

______________________________________________________________________

______________________________________________________________________

**4. Logros en su Plan de Cambio Personal**

a. *¿Qué cambios ha completado durante el tratamiento?*

______________________________________________________________________

______________________________________________________________________

______________________________________________________________________

______________________________________________________________________

______________________________________________________________________

b. *¿En qué cambios necesita continuar trabajando?*

______________________________________________

______________________________________________

______________________________________________

______________________________________________

______________________________________________

**5. Desarrollo de empatía**

a. *¿Qué entiende por empatía?*

______________________________________________

______________________________________________

______________________________________________

b. *¿Cómo ha aplicado la empatía con la(s) víctima(s) en su caso de violencia doméstica?*

______________________________________________

______________________________________________

______________________________________________

c. *¿Cómo afectó su caso de violencia doméstica a su familia?*

______________________________________________

______________________________________________

______________________________________________

d. *¿Qué tan importante es la empatía para usted ahora y por qué?*

______________________________________________

______________________________________________

______________________________________________

e. *¿Cómo ha aprendido a expresar y mostrar empatía por otros?*

______________________________________________

______________________________________________

______________________________________________

**6. Aceptar total responsabilidad por la ofensa e historial de abuso**

a. *¿Cuáles son las maneras de reconocer y mostrar su absoluta responsabilidad por sus acciones como ofensor de violencia doméstica?*

b. *¿Cómo reconoce ahora que los comportamientos abusivos son inaceptables e injustificables?*

**7. Identificar y reducir los patrones de poder y control en las relaciones de pareja, así como comportamientos y actitudes negativas, y falsas creencias de la violencia doméstica**

a. *¿Cuáles fueron sus patrones, actitudes y comportamientos basados en el poder y control en su historial de relaciones de pareja? Explique:*

b. *¿Cuáles fueron sus falsas creencias en las relaciones de pareja que ha cambiado durante el tratamiento?*

c. *¿Cuáles son algunas formas de poder y control que ha aprendido, y que se utilizan en las relaciones de pareja?*

d. *¿Cómo puede demostrar igualdad y respeto en las relaciones de pareja?*

**8. Responsabilidad por los comportamientos abusivos, reparar el daño, y prevenir futuros comportamientos abusivos**

a. *¿Cómo demuestra ahora que reconoce y que ha eliminado cualquier negación o minimización de sus comportamientos abusivos/agresivos con la(s) víctima(s)?*

b. *¿Cómo demuestra ahora que asume total responsabilidad, da cuenta de sus actos, y acepta las consecuencias de sus malas acciones?*

c. *¿Cómo demuestra ahora que acepta que sus malas decisiones afectaron a otros y que tal vez ellos continúen pagando las consecuencias?*

d. *¿Cómo demuestra ahora que tiene la mejor disposición para reparar el daño que ha hecho y su compromiso para la prevención de futuros comportamientos abusivos y agresivos?*

e. *¿Cómo demuestra ahora que se hace responsable, no sólo de la ofensa, sino también de sus emociones y acciones que terminaron en un caso de violencia doméstica?*

**9. Aceptar que los comportamientos negativos y ofensivos tienen consecuencias**

a. *¿Cuáles son las maneras de reconocer y demostrar que ha aceptado las consecuencias de sus comportamientos negativos y ofensivos que terminaron en su caso de violencia doméstica?*

b. *¿Cómo reconoce que los comportamientos abusivos son una opción, son intencionales y están claramente dirigidos a alguien?*

______________________________________________

______________________________________________

______________________________________________

______________________________________________

______________________________________________

**10. Participación y cooperación en el tratamiento**

a. *Explique si ha participado abierta y honestamente durante el tratamiento.*

______________________________________________

______________________________________________

______________________________________________

______________________________________________

______________________________________________

b. *¿De qué manera ha cooperado para culminar de la mejor manera con su tratamiento?*

______________________________________________

______________________________________________

______________________________________________

______________________________________________

______________________________________________

c. *¿Ha asistido a todas las sesiones de terapia y clases adicionales que le fueron asignadas y fueron necesarias para su tratamiento?, explique:*

______________________________________________

______________________________________________

______________________________________________

______________________________________________

______________________________________________

**11. Definición de los diferentes tipos de violencia doméstica**

a. *¿Cómo define ahora la violencia doméstica?*

______________________________________________

______________________________________________

______________________________________________

______________________________________________

______________________________________________

b. *¿Cuáles son los tipos de violencia que ahora conoce? (defina, describa y de ejemplos de cada uno de ellos)*

______________________________________________

______________________________________________

______________________________________________

______________________________________________

______________________________________________

______________________________________________

______________________________________________

______________________________________________

______________________________________________

______________________________________________

______________________________________________

______________________________________________

______________________________________________

c. *¿Cuáles son los tipos de violencia doméstica que ha utilizado en su historial de relación o relaciones de pareja?*

______________________________________________

______________________________________________

______________________________________________

______________________________________________

______________________________________________

**12. Identificando sus patrones personales de la violencia**

a. *¿Cómo ha estado trabajando consigo mismo(a) para eliminar cualquier estilo de violencia o abuso utilizados en el pasado?*

______________________________________________________________________

______________________________________________________________________

______________________________________________________________________

______________________________________________________________________

______________________________________________________________________

b. *¿Cómo demuestra que ahora es consciente de sus estilos de comportamiento abusivos y controladores que utilizó en el pasado y presente, y no volverlos a utilizar?*

______________________________________________________________________

______________________________________________________________________

______________________________________________________________________

______________________________________________________________________

______________________________________________________________________

c. *¿Qué tan capaz es ahora de explicar a otros lo que ha aprendido sobre la violencia doméstica?*

______________________________________________________________________

______________________________________________________________________

______________________________________________________________________

______________________________________________________________________

______________________________________________________________________

**13. Comprendiendo la violencia intergeneracional**

a. *Si ha sido su caso, ¿Cómo identifica y reconoce el impacto de la violencia doméstica en su familia de origen y cuando ha sido niño(a)?*

______________________________________________________________________

______________________________________________________________________

______________________________________________________________________

______________________________________________________________________

______________________________________________________________________

b. *¿Cómo ha afectado su caso legal de violencia doméstica en su familia?*

c. *Si aplica: ¿Cómo han sido afectados sus hijos por exponerlos y ser testigos de violencia doméstica?*

**14. Entendiendo y utilizando habilidades de comunicación apropiadas**

a. *¿Qué nuevas formas y habilidades de comunicación ha aprendido, y cómo estos nuevos conocimientos son útiles para su relación con los demás y en su vida diaria?*

b. *¿Cómo identifica las diferencias entre ser pasivo, agresivo, pasivo-agresivo y asertivo?*

c. *¿Cómo demuestra ahora que ha aprendido a escuchar activamente, parafrasear y usar mensajes en primera persona?*

**15. Entendiendo y utilizando el "Tiempo fuera"**

a. *¿Qué tan capaz se siente ahora de poder reconocer cualquier tipo de provocación o agresión, y poder parar a tiempo un comportamiento violento o agresivo?*

b. *¿Cuándo reconocerá o sabrá de la necesidad de usar el "tiempo fuera"?*

c. *¿Cuáles son los pasos de un "tiempo fuera"?*

d. *¿Qué tan importante es usar el "tiempo fuera" antes o durante una discusión con su pareja?, ¿por qué?*

**16. Reconociendo el abuso financiero y mi compromiso de responsabilidad financiera**

a. *¿Qué es el abuso financiero?*

b. *¿Cómo ha utilizado el abuso financiero en su relación o relaciones de pareja?*

c. *¿Cómo ha sido financieramente responsable con todas sus obligaciones familiares, legales y de tratamiento?*

d. *En caso de que haya sido necesario, ¿qué es lo que ha hecho para mantener un trabajo durante el curso de su tratamiento y su libertad condicional?*

**17. Eliminando todas las formas de violencia y abuso**

a. *¿Cómo ha cambiado sus conductas abusivas o agresivas en la sociedad (familia, trabajo, animales, conduciendo un vehículo, durante actividades sociales, etc.)?*

b. *¿Cómo va a evitar, de hoy en adelante, en volver a caer en algún comportamiento abusivo, agresivo o violento y que podría terminar en un nuevo caso de violencia doméstica?*

**18. Prohibición de comprar, usar o poseer armas de fuego**

a. *¿Cómo comprueba el cumplimiento de este requisito que es parte de su libertad condicional y en el futuro?*

**19. Identificando y cuestionando las distorsiones de pensamiento que jugaron un papel en su caso como ofensor de violencia doméstica**

a. *¿Qué errores en su manera de pensar ha identificado antes y durante su tratamiento?*

b. *¿Cómo ha cambiado o reemplazado esos errores de pensamiento?*

c. *¿Cuál es la importancia de cambiar sus pensamientos distorsionados?*

**20. Control y manejo del enojo**

a. *¿Qué herramientas y habilidades ha aprendido a usar cuando se siente enojado(a)?*

b. *¿Cuáles son las situaciones que podrían desencadenar o dar lugar a su enojo?*

______________________________________________________________________________

c. *¿Cuáles son sus signos y síntomas particulares que reconoce de su enojo?*

d. *¿Cuál es su Plan Personal de control de enojo?*

**21. Vida Sobria**

a. *¿Qué es sobriedad para usted y cuán importante es para usted estar libre de alcohol o drogas?*

**22. Relaciones sexuales saludables**

a. *¿Cómo son o serán en adelante sus relaciones íntimas con su pareja o futura pareja?*

b. *¿Son y serán las relaciones sexuales libres de coerción, abiertas a las necesidades y la comodidad de su pareja? Explique.*

**INFORMACIÓN ADICIONAL**

*Incluya cualquier información adicional sobre su crecimiento personal o cambios importantes que considera haber logrado durante su tratamiento.*

Nombre: ______________________________ Fecha: __________

# ::: Proyecto Especial V :::

## Mi Plan Personal de Seguimiento para Mantener el Cambio en la Prevención o Reincidencia de Violencia Doméstica

Como parte del programa y antes de terminar su tratamiento, este proyecto debe ser completado por usted como ofensor de violencia doméstica, y será revisado por su terapeuta, consejero(a) u oficial de libertad condicional. De ser necesario, comparta este proyecto en su grupo con la finalidad de recibir opiniones de sus compañeros(as).

1. Identifique las áreas problemáticas, como parte de su Plan de Cambio Personal, en las que ha trabajado durante su tratamiento:

   a. ____________________

   b. ____________________

   c. ____________________

   d. ____________________

2. ¿Cuáles fueron las metas que se propuso para cada área problemática?

   a. ____________________

   b. ____________________

   c. ____________________

   d. ____________________

3. ¿Cuáles han sido sus logros alcanzados en cada área problemática identificados al inicio del programa?

   a. ____________________

   b. ____________________

   c. ____________________

   d. ____________________

4. ¿Cuáles fueron los pasos específicos que tomó para trabajar en el cumplimiento de sus metas personales?

   a. ____________________

   b. ____________________

   c. ____________________

   d. ____________________

5. ¿Cuáles son las metas en las que todavía está trabajando y seguirá trabajando?

   a. ____________________

   b. ____________________

   c. ____________________

   d. ____________________

6. ¿Cuáles son los pasos que tomará para mantener y seguir trabajando en sus metas personales?

   a. ____________________

   b. ____________________

   c. ____________________

7. Consejería y Tratamiento
   ¿Cuáles son sus planes o recursos con los que cuenta, de ser necesario, para continuar consejería o tratamiento individual, de pareja o en familia?

   a. ____________________

   b. ____________________

8. Personas de apoyo
   Escriba una lista de personas de confianza a las que puede acudir en caso de que necesite apoyo o que le ayudarían a mantener los cambios logrados en el tratamiento:

   a. ____________________ e. ____________________

   b. ____________________ f. ____________________

   c. ____________________ g. ____________________

   d. ____________________ h. ____________________

9. Tiempo Libre
   ¿Cuáles son las actividades que hace o le gustaría hacer por diversión o pasatiempo?

   a. ____________________ e. ____________________

   b. ____________________ f. ____________________

   c. ____________________ g. ____________________

   d. ____________________ h. ____________________

10. Finanzas

I. ¿De qué manera la falta de recursos financieros podría afectar o crear problemas para mantener sus cambios personales?

a. ____________________

b. ____________________

II. ¿Cómo enfrentaría las presiones financieras?

a. ____________________

b. ____________________

11. Estrés

I. ¿De qué manera un exceso de estrés podría afectar el mantenimiento de sus cambios personales?

a. ____________________

b. ____________________

II. ¿Cómo enfrentaría el exceso de estrés de su vida diaria?

a. ____________________

b. ____________________

12. Manejo de emociones y el enojo

I. ¿De qué forma expresaba su enojo antes de comenzar el tratamiento?

a. ____________________

b. ____________________

II. ¿Cuáles son las habilidades específicas que le han sido más útiles para controlar y manejar su enojo?

a. ____________________

b. ____________________

c. ____________________

d. ____________________

III. ¿Cuáles son las emociones que todavía le son difíciles de expresar o manejar?

a. ____________________

b. ____________________

IV. ¿De qué manera continuará trabajando en la expresión saludable de sus emociones?

a. ______________________________

b. ______________________________

13. Señales de advertencia de recaer en comportamientos agresivos o controladores con su actual pareja o futura pareja
I. ¿Cuáles serían las acciones, situaciones, emociones o comportamientos, que lo(a) alertarían de una posible recaída o al retorno de viejos comportamientos agresivos o violentos en su relación de pareja?

a. ______________ e. ______________

b. ______________ f. ______________

c. ______________ g. ______________

d. ______________ h. ______________

II. ¿Cuáles serían sus estrategias para hacer frente a las señales de advertencia de una recaída o para evitar regresar a viejos comportamientos agresivos o violentos?

a. ______________ e. ______________

b. ______________ f. ______________

c. ______________ g. ______________

d. ______________ h. ______________

14. ¿Cuál sería su plan para distanciarse de las tradicionales tendencias violentas o creencias culturales irracionales que jugaron un rol en su caso como ofensor de violencia doméstica?

______________________________

______________________________

______________________________

______________________________

Nombre: ______________________ Fecha: __________

# ::: Apéndice :::

## Evaluación de salida

1. ¿Qué fue lo que más le gustó del tratamiento?

2. ¿Qué es lo que más aprendió durante su tratamiento?

3. ¿Cuáles fueron los cambios más importantes que ha hecho durante su tratamiento?

4. ¿Cuáles fueron las dificultades que enfrentó durante su tratamiento?

5. ¿Qué es lo que menos le gustó de su tratamiento?

_______________________________________________

_______________________________________________

_______________________________________________

_______________________________________________

_______________________________________________

6. ¿Qué sugerencias haría para mejorar el programa de tratamiento de violencia doméstica en el que participó?

_______________________________________________

_______________________________________________

_______________________________________________

_______________________________________________

_______________________________________________

7. ¿Algún comentario adicional?

_______________________________________________

_______________________________________________

_______________________________________________

_______________________________________________

_______________________________________________

_______________________________________________

_______________________________________________

_______________________________________________

Muchas gracias por ser parte de este programa y felicitaciones por los logros y aprendizajes obtenidos. Deseo sinceramente que estos conocimientos y experiencias le sirvan de herramientas valiosas para crear nuevas alternativas y una mejor calidad de vida.

Nombre: ______________________________ Fecha: ____________

## Referencias


1. American Psychological Association. (n.d.). Guía de resiliencia: para padres y maestros. https://www.apa.org/centrodeapoyo/guia#.

2. Alcántara-López, M., López Soler, C., Castro Sáez, M., & López-García, J. J. (2013). Alteraciones psicológicas en menores expuestos a violencia de género: prevalencia y diferencias de género y edad. Anales de Psicología / Annals of Psychology, 29(3), 741–747. https://doi.org/10.6018/analesps.29.3.171481

3. Batres, G. (2003). Manual para el tratamiento de hombre que ejercen violencia hacia su pareja. San José, Costa Rica: Fondo de Población de las Naciones Unidas.

4. Bernabéu, F. 2015. La violencia en la familia. La violencia en la pareja. Aspectos criminológicos e intervención intrafamiliar. Universitas Miguel Hernández. Alicante, España.

5. Brown MJ, Perera RA, Masho SW, & Mezuk B, Cohen SA. Adverse childhood experiences and intimate partner aggression in the US: sex differences and similarities in psychosocial mediation. Soc Sci Med. 2015 Apr; 131:48-57. doi: 10.1016/j.socscimed.2015.02.044. Epub 2015 Mar 2. PMID: 25753285; PMCID: PMC4479130. Retrieved from http://dx.doi.org /10.1016/j.socscimed. 2015.02.044

6. Bancrof, L., & Silverman, J.G. (2002). The batterer as parent. Thousand Oaks, CA: Sage.

7. Cyrulnik, B., & Anaut, M. (2012). ¿Por qué la resiliencia? Editorial Gedisa, S.A. Barcelona, España.

8. Domestic Violence Offender Management Board. https://dcj.colorado.gov/boards-commissions/domestic-violence-offender-management-board. (n.d.). https://www.colorado.gov/pacific/dcj/dvomb-standards.

9. Cos A., Emanuel, (2016). Estudio criminológico de las mujeres como sujeto activo de la violencia familiar. Universidad Tepantlato, México D. F.

10. Duckworth, A. (2016). Grit: El poder de la pasión y la perseverancia. Spanish Edition. Sapiens Editorial.

11. Echeburúa, E. & De Corral, P. (1998). Manual de Violencia Familiar. Siglo XXI de España Editores, S, A. (1ra. Edición). Madrid-España.

12. Expósito, F. (2011). Violencia de género. Mente y Cerebro, 48, 20 –25.

13. Fall, K., & Howard S. (2012). Alternatives to Domestic Violence. A Homework Manual for Battering Intervention Groups, (3rd Ed.). New York, NY: Taylor & Francis Group.

14. Foshee, V. A., Reyes, H. L. M., Ennett, S. T., Suchindran, C., Mathias, J. P., Karriker-Jaffe, K. J.,... Benefield, T. S. (2011). Risk and protective factors distinguishing profiles of adolescent peer and dating violence perpetration. Journal of Adolescent Health, 48, 344–350. http://dx.doi.org/10.1016/j.jadohealth.2010.07.030

15. Investigating Sexual Assaults. IACP LAW ENFORCEMENT POLICY CENTER. (2017, October). https://evawintl.org/wp-content/uploads/IACPConceptsandIssuesPaper2017.pdf.

16. National Victim Center (1992). Rape in America: A report to the nation. National Victim Center: Arlington, VA

17. Navarro G., Jose (2016). Violencia en las relaciones íntimas, una perspectiva clínica. Herder Editorial, S. L., Barcelona, España.

18. Núñez, J., & Carvajal C. (2004). Violencia Intrafamiliar. Sucre, Bolivia.

19. Violencia contra la mujer. Organizacion Mundial de La Salud. (2021, March 8). https://www.who.int/es/news-room/fact-sheets/detail/violence-against-women.

20. Polaino, L., Aquilino (2004). En busca de la autoestima perdida. Editorial Desclée de Brouwer, S.A., Bilbao, España.

21. Ruiz V., Juan (2016). Violencia intrafamiliar (Monograph). Universidad Católica Andrés Bello (UCAB), Caracas, Venezuela. https://www.docsity. com/es/violencia-intrafamiliar-10/5656952/

22. Walker, L.E.A. (2017). The Battered Women Syndrome. 4th Edition. NYC: Springer

23. Yalom, I. (1999). Theory and practice of group psychotherapy. New York: Basic books.